ANGELO CHIUCHIÙ - FAUSTO MINCIARELLI - MARCELLO SILVESTRINI

Grammatica Italiana per Stranieri

in italiano

corso MULTIMEDIALE di lingua e civiltà a livello elementare e avanzato

2

EDIZIONI GUERRA - PERUGIA

3. 2. 1.
1994 93

Nuova Edizione aggiornata e integrata

Disegni: Moreno Chiacchiera
Fotocomposizione: Studio Top - Perugia
Stampa: Guerra guru s.r.l. - Perugia

Premessa

FORME E DIMENSIONI DELLA MULTIMEDIALITÀ

Questo, che presentiamo, è il **PRIMO CORSO MULTIMEDIALE** *di lingua e civiltà a livello elementare ed avanzato per l'insegnamento-apprendimento dell'italiano come lingua straniera.*

In glottodidattica, lavorare per la **multimedialità** *equivale, secondo noi, a: pensare, progettare, realizzare e sperimentare materiali linguistici, che, nel rispetto della coerenza metodologica, ai fini dell'utilizzazione, attingano anche alle risorse della* **tecnologia** *e alle intuizioni delle* **scienze della comunicazione** *(cibernetica, semiotica, etnografia, teoria matematica dell'informazione, informatica). E proprio questa impostazione dell'attività di ricerca e di sperimentazione sembra segnare il riscatto della didattica delle lingue dalla posizione di subalternità rispetto a filosofia, pedagogia ed altre discipline.*

Questo corso ha origine da una duplice fonte di informazioni e verifiche.

Nasce dagli stimoli, i suggerimenti, le obiezioni che gli autori hanno raccolto dal rapporto diretto con colleghi insegnanti di lingua italiana nel mondo, durante i corsi di aggiornamento dagli stessi tenuti presso l'Università Italiana per Stranieri di Perugia e altrove.

E nasce, altresì, dalla diretta e più che decennale esperienza maturata nei corsi di italiano L2 con migliaia di studenti stranieri, corsi nei quali la dottrina, le intuizioni, i progetti dei più affermati esperti di glottodidattica (Palmer, Skinner, Chomsky, Wilkins, Titone, Freddi, D'Addio, Arcaini, Van Ek, Trim, Kuhn, Roulet ed altri) hanno avuto debita sperimentazione e verifica.

Gli autori, attenti nel cogliere quanto c'è di più efficace e stimolante nelle varie impostazioni metodologiche, rifiutano, per convinzione, sia gli estremi del piatto grammaticalismo, come l'avventura del modernismo ad ogni costo. Sicché l'impostazione, i momenti, i ritmi dell'Unità Didattica, prima di venir tradotti graficamente, sono stati, ripetutamente e con rigore critico, sperimentati e verificati nei tramiti, negli obiettivi e nelle acquisizioni linguistiche.

Sono parte integrante del corso e ne caratterizzano la **multimedialità***:*

1. *questo* **testo base "In Italiano"***;*
2. *quattro* **audiocassette** *con i dialoghi sonorizzati;*
3. *sei* **videocassette** *commissionate dalla Presidenza del Consiglio dei Ministri e realizzate dalla Rai-Radiotelevisione Italiana, che presentano 26 unità;*
4. **dischetti per il personal computer** *per la verifica della comprensione, per il lavoro testuale, la creatività, il role-playing;*
5. **manuale per il laboratorio linguistico***, corredato da cassette di registrazione e sonorizzazione integrale di tutte le batterie di esercizi (400 per un totale di circa 2.500 frasi di lingua viva, in situazione) e pratiche di fissaggio;*
6. **supplementi in varie lingue** *per l'analisi contrastiva. Manuali separati che mettono a confronto italiano-inglese, italiano-tedesco, italiano-spagnolo, italiano-francese, italiano-greco.*
7. **test** *periodici e finali per la verifica e il controllo.*

FRUITORI E FINALITÀ DEL CORSO

I destinatari di questo corso sono coloro che intendono avvicinarsi alla lingua e alla cultura italiana sprovvisti di ogni preparazione in merito, i quali troveranno una materia rigorosamente graduata, che muove da strutture semplici e facilmente decodificabili.

Sono altresì destinatari quegli studenti che, in possesso di discreti elementi di base, avranno l'opportunità di rivedere e riorganizzare quanto appreso, fino a pervenire all'acquisizione di strutture complesse perfettamente interiorizzate.

Si fornisce all'allievo e all'insegnante **materiale linguistico autentico,** *strutturalmente* *graduato ed integrato.*

Si consente allo studente di lavorare con un solo volume che al contempo possa fungere da:

- ***testo per il laboratorio linguistico*** *(drill per il fissaggio delle strutture morfo-sintattiche);*
- ***sinossi grammaticale*** *(tavole di sintesi grammaticale);*
- ***rubrica per il lessico*** *("occhio alla lingua!");*
- ***compendio*** *di spunti e stimoli* ***per la conversazione*** *(funzioni, atti comunicativi, momento creativo);*
- ***raccolta*** *di pratiche* ***per il testing*** *(esercizi di reimpiego e controllo).*
- ***avviamento alla composizione scritta*** *(domande personalizzate, lettere, temi, riassunto guidato).*

Si offre all'insegnante la possibilità di condurre tutta l'attività didattica in lingua italiana, nella certezza di essere compreso, senza il sussidio della traduzione.

Si procede attraverso unità o strategie comunicative e, quando sono con queste conciliabili, si introducono categorie nozionali/funzionali del linguaggio secondo l'opzione glottodidattica del Consiglio d'Europa nel ***Livello Soglia.*** *Muovendo perciò da un approccio comunicativo-situazionale, che tenga conto delle conoscenze e delle abilità operative sul versante del linguaggio verbale, si evidenziano le strutture di base e si conduce l'allievo ad una pratica di comportamenti grammaticali che ne orientino gli atti linguistici con precisione e coerenza.*

Si parte sempre dai bisogni comunicativi più elementari, che sostengano e gratifichino il discente in modo spontaneo nel suo habitat normale: saluto, identificazione individuale, commiato, ringraziamento, domanda e risposta su informazioni relative al mondo circostante (vale a dire casa, famiglia, città, lavoro, uffici, servizi) fino ad allargare e approfondire la portata degli atti comunicativi in situazioni esistenziali più ampie e complesse.

Inoltre, attraverso il dialogo introduttivo, pre-registrato e corredato di immagini che ne agevolano la comprensione, attraverso il fissaggio delle strutture, il lavoro sul testo, la sintesi grammaticale, gli esercizi di reimpiego e controllo con chiavi, lo studente può realizzare un intervento individuale di ***autoapprendimento*** *e* ***autocorrezione.***

DESCRIZIONE DEL CORSO

La materia è divisa in *24 Unità Didattiche* rispondenti a questi principali requisiti:

- *scelta* di soggetti omogenei per difficoltà ed impegno;
- *strutturazione rigorosa* delle strategie e delle operazioni nel processo di insegnamento/apprendimento;
- *trattazione completa ed esauriente* degli aspetti di lingua e civiltà che si intendono proporre;
- *disposizione in sequenze* di operazioni didattiche coerenti, debitamente finalizzate e facilmente praticabili;
- *controllo scientifico* dell'elemento linguistico, realizzato attraverso il *Personal Computer Olivetti M24.*

All'interno di ogni Unità Didattica (la 'teaching unit', nata in USA nel Piano Dalton e nelle aule di Winnetka, perfezionata da H.C. Morrison, oggi riconosciuta, a giudizio unanime, valida come modello operativo) sono individuabili sei momenti ben precisi:

1. **presentazione del dialogo;**
2. **sfruttamento del dialogo;**
3. **fissaggio del materiale linguistico e trasposizione ad altre situazioni;**

4. **osservazioni grammaticali e lessicali;**
5. **esercizi di libero reimpiego e creativi;**
6. **verifica dei risultati conseguiti.**

FASI DELL'UNITÀ DIDATTICA

Ogni Unità Didattica è così strutturata:

Brano introduttivo, quasi sempre in forma dialogica. Trattasi per lo più di momenti di vita colti nel loro manifestarsi e sempre legati alla realtà, al costume, alla cultura, al sentire italiano.

L'operazione comprende sequenze che presentano le nuove strutture e i contenuti lessicali che s'intende introdurre, con l'impegno di attivare la motivazione e destare, sul piano psicologico, interesse e coinvolgimento.

Il lessico, sulla scorta delle liste di frequenza e del vocabolario di base, debitamente integrato per esigenze specifiche, è stato rigorosamente verificato con il Personal Computer Olivetti M24.

Il testo segmentato in strutture significative, illustrato da vignette appropriate, crea la sintesi di **canali auditivi e visivi** che, entrando in interazione, consentono di privilegiare, sul piano psicologico, la motivazione e la globalità che sono alla base del metodo induttivo.

Comprendere. Una serie di interventi per comprendere e penetrare il testo, attraverso pratiche di scelta multipla, vero o falso e il consueto questionario, consentono all'utente la possibilità di individuare quali abilità linguistiche sarà condotto ad acquisire nel lavoro successivo.

Fissare le strutture. Indurre o fissare le strutture vuol dire estrapolarle dal testo di lingua, ormai ben penetrato, per osservarne e metterne a fuoco gli schemi organizzativi (Freddi). E questa acquisizione induttiva di elementi grammaticali si perfeziona attraverso convenienti esercizi di fissazione.

Lavorare sul testo. Vi sono programmati una varietà ordinata e gerarchica di esercizi che, sugli stimoli e le suggestioni indotte dall'uso degli automatismi previsti nel fissaggio delle strutture, ha lo scopo di consentire la manipolazione e un primo intervento diretto dell'allievo sui fenomeni linguistici attraverso operazioni quali completare, riordinare, combinare, fare domande, ecc.

C'è in questa sezione già un'istanza di reimpiego guidato, teso a superare i condizionamenti dello schema iniziale, in favore della originalità e creatività.

Sintesi grammaticale. Presenta in **scatole** o **tavole** (secondo la tecnica ormai a lungo sperimentata dal Palmer fin dal 1916), in forma chiara e sintetica, i fenomeni grammaticali in contesti di larga frequenza.

La presentazione e la evoluzione di siffatte scatole procede secondo uno schema di sviluppo concatenato a spirale, attraverso microsistemi autonomi e onnicomprensivi.

Occhio alla lingua! A metà strada tra il creativo e il normativo, comprende due sezioni di rilievo:

il lessico, che riprende e sviluppa i suggerimenti, i modi dire, le espressioni idiomatiche, gli intercalari, i connettivi e certi particolari elementi linguistici, che quasi mai, per importanti e significativi che siano, i testi si peritano di trattare;

le funzioni. Settore nel quale, riferendosi sempre alle situazioni contenute nei testi introduttivi, gli autori hanno identificato alcune funzioni linguistiche, con accanto i corrispondenti indicatori o atti comunicativi.

L'insegnante potrà utilizzarle con la sua classe, inserendole via via in situazioni e contesti diversi che simulerà attraverso drammatizzazioni.

Nella scelta delle differenti funzioni e delle relative realizzazioni linguistiche, si tiene conto del repertorio costituente il **Livello Soglia** già citato, che Nora Galli De' Paratesi ha realizzato per la lingua italiana; ma gli autori se ne discostano per quel tanto che la loro esperienza didattica ha consigliato, al fine di dare una consistente scorta di materiale, pur sempre nel rispetto dei criteri di frequenza.

Momento creativo. L'allievo viene posto in grado di agire in modo libero e autonomo, di confrontarsi con quanto ha filtrato e interiorizzato.

È uno stadio particolarmente gratificante dell'Unità Didattica. Tutti gli studenti traggono stimoli ed incentivi verso la prosecuzione dello studio di una lingua, se si sentono immediatamente in grado di riprodurre e reimpiegare in altri contesti quanto hanno acquisito.

Questa sezione tende appunto alla trasposizione immediata e rapida dei materiali attraverso la riproposta di situazioni, il riferimento personale di fatti ed esperienze, la trascrizione di vicende più o meno simulate, ma sempre realistiche e coinvolgenti.

L'attività creativa, in questa fase, si evolve per il tramite di esercizi di produzione guidata, con il libero completamento di enunciati, con la riesposizione orale o scritta in forma narrativa del dialogo introduttivo (dopo la eventuale dettatura da parte dell'insegnante), attraverso operazioni di dicto-comp, con lo svolgimento di temi e composizione di lettere su traccia.

Elementi di civiltà. Uno spaccato di autentica vita italiana. Il titolo del corso IN ITALIANO è tributario, in parte, di questo settore. La ragione sta nel fatto che la grande 'richiesta di Italia' che si sviluppa oggi nel mondo, è traducibile in elementi di civiltà italiana, cioè in pensare, cantare, lavorare, vestirsi, mangiare, costruire, in una parola: "vivere in italiano", non meno che parlare, leggere, scrivere in italiano.

Ha l'obiettivo di ricreare, in ogni parte del mondo, anche la più remota, un "lembo extraterritoriale" dell'Italia. Curiosando, così, tra le fotografie dei personaggi e dei paesaggi, dei costumi e delle tradizioni, dei ritmi di vita e degli schemi tipici, delle risorse umane e spirituali e delle conquiste tecnologiche, ci si rende conto che tutto concorre a parlare dell'Italia e ad incidere sul piano emotivo e motivazionale.

In tale condizionamento psicologico si realizza l'interazione dell'abilità linguistica con quella sociolinguistica, come pure con quella comunicativa (Freddi).

Test di reimpiego e controllo. È lo stadio finale che intende offrire all'insegnante e al discente la cognizione reale di quel quadro di sintesi risultante dal lavoro di fissaggio delle strutture morfo-sintattiche e delle forme lessicali indotte, dal loro debito reimpiego, nonché dalla omogenea interiorizzazione delle medesime.

Alcune canzoni popolari e di successo introdotte nel corso, con relative note musicali e con la proposta del testo poetico, non hanno soltanto finalità di relax, di pausa gradevole e accattivante, ma concorrono a dare uno spaccato di lingua e di vita e sono, in ultima analisi, un'offerta di 'italiano in versi'.

Gli Autori

INDICE GENERALE VOLUME 1

INDICE GENERALE VOLUME 2

APPENDICE

PRONOMI ACCOPPIATI NEI TEMPI COMPOSTI

un furto

13

Gigi, ladro ben noto alla polizia, dopo cinque anni di prigione, è in libertà. Ma ora si trova di nuovo al commissariato.

Commissario:
Cinque anni di prigione non ti sono bastati! Ti sei subito rimesso al "lavoro". Adesso mi racconti quello che è successo sabato notte in casa della marchesa.

Gigi:
E va bene, Commissario, Le dirò tutto. Sabato, a mezzanotte sono entrato nella villa della marchesa.

Commissario:
Chi sono stati i tuoi complici? Fuori i nomi!

Gigi:
Su questo non mi caverà una parola di bocca.

Commissario:
Senti, amico, il furto non puoi averlo fatto da solo. Ti conviene parlare. Come hai trovato i complici?

Gigi:
Me li ha fornit*i* la Sdentata.

Commissario:
Ah, *te li* ha trovat*i* la Sdentata?! E chi vi ha dato la pianta della villa?

Gigi:
No. Questo non posso dirglielo.

Commissario:
Ricominci?

Gigi:
*Ce l'*ha dat*a* il maggiordomo.

Commissario:
E le chiavi della villa? E la combinazione della cassaforte?

Gigi:
Ce le ha date... Commissario non posso...

Commissario:
Non fare storie! Chi *ve le* ha date?

Gigi:
La cameriera personale della marchesa.

Commissario:
Bene! Anche la cameriera! Adesso devi dirmi chi è entrato con te nella villa.

Gigi:
Sono entrati con me il Lungo e lo Smilzo.

Commissario:
Voi soli?

Gigi:
Sì, il Muto ci aspettava in macchina e il Tappo controllava la situazione.

Commissario:
E con i cani che ancora dormono, come avete fatto?

Gigi:
Facile. Avevamo lo spray soporifero. *Gliel'*abbiamo spruzzato sul muso... *Gliene* abbiamo spruzzato tanto.

13 COMPRENDERE

1. Scelta multipla

1. Il furto è avvenuto in casa
   - ☐ della contessa
   - ☐ della marchesa
   - ☐ della principessa

2. Gigi è uscito da poco
   - ☐ dall'ospedale
   - ☐ dal collegio
   - ☐ dalla prigione

3. Deve raccontare quello che è successo
   - ☐ il mese scorso
   - ☐ sabato notte
   - ☐ la settimana passata

4. La Sdentata ha fornito
   - ☐ i complici
   - ☐ gli attrezzi
   - ☐ i soldi

5. La pianta della villa l'ha data
   - ☐ il cameriere
   - ☐ il cuoco
   - ☐ il maggiordomo

6. La cameriera ha procurato
   - ☐ le chiavi dell'armadio
   - ☐ le chiavi della cassaforte
   - ☐ le chiavi della villa

7. Il Muto
   - ☐ aspettava in macchina
   - ☐ controllava la situazione
   - ☐ è entrato nella villa

8. Ai cani hanno spruzzato
   - ☐ spray deodorante
   - ☐ spray soporifero
   - ☐ spray insetticida

2. Vero o Falso?

	V	F
1. Il ladro è stato in prigione dieci anni.	☐	☐
2. Il furto è avvenuto sabato notte.	☐	☐
3. La Sdentata è tornata nel "giro" della malavita.	☐	☐
4. Il maggiordomo ha dato la pianta della villa.	☐	☐
5. Il Tappo controllava la situazione.	☐	☐
6. Il Muto aspettava a casa.	☐	☐

come nasce il giornale

3. Questionario

1. Chi è Gigi?
2. Dove è stato negli ultimi cinque anni?
3. Chi sono i complici di Gigi?
4. Che cosa ha fatto la Sdentata?
5. Chi ha dato a Gigi la pianta della villa?
6. Che cosa ha procurato la cameriera personale della marchesa?

4. Rispondere

1. Quando hai telefonato alla signorina? *(ieri)* — Le ho telefonato ieri.
2. Quando hai scritto a tua madre? *(l'altro ieri)* ______
3. Che cosa hai regalato alla fidanzata? *(un bracciale)* ______
4. Che cosa hai consegnato alla cameriera? *(la chiave)* ______
5. Quando hai parlato al Commissario? *(ieri)* — Gli ho parlato ieri.
6. Che cosa hai raccontato a tuo padre? *(tutto)* ______
7. Che cosa hai dato a quel signore? *(il mio biglietto da visita)* ______
8. Che cosa hai promesso a tuo figlio? *(un bel motorino)* ______

5. Rispondere

1. Che cosa mi ha portato? *(un regalo)* — Le ho portato un regalo.
2. Che cosa mi ha spedito? *(una cartolina)* ______
3. Che cosa mi ha inviato? *(gli auguri per Natale)* ______
4. Che cosa mi ha preparato? *(un dolce)* ______
5. Che cosa mi ha raccontato? *(la verità)* ______
6. Che cosa mi ha cucinato? *(una bistecca)* ______

6. Rispondere

1. Hai presentato la signorina a tuo padre? — Sì, gliel'ho presentata.
2. Hai presentato la signorina a tua madre? ______
3. Hai presentato la signorina ai tuoi amici? ______
4. Hai presentato la signorina alle tue amiche? ______
5. Avete mostrato le fotografie a Gigi? — Sì, gliele abbiamo mostrate.
6. Avete mostrato le fotografie alla signora? ______
7. Avete mostrato le fotografie ai complici? ______
8. Avete mostrato le fotografie alle signore? ______

7. Rispondere

1. Mi ha già mandato il programma? — No, non gliel'ho ancora mandato.
2. Mi ha già preparato il piano di lavoro? ______
3. Mi ha già ordinato il caffè? ______
4. Mi ha già scritto il nome del complice? ______
5. Mi ha già spedito i soldi? — Sì, glieli ho già spediti.
6. Mi ha già prenotato i biglietti? ______
7. Mi ha già caricato i pacchi in macchina? ______
8. Mi ha già fornito i nomi dei complici? ______

8. Completare

1. Siccome le rose piacciono molto alla signorina, *(portare alcune)* — gliene ho portate alcune.
2. Siccome le paste piacciono molto a mio fratello, *(comprare alcune)* ______________
3. Siccome le barzellette piacciono molto ai miei amici, *(raccontare alcune)* ______________
4. Siccome le diapositive piacciono molto alle bambine, *(mostrare alcune)* ______________
5. Siccome i dischi piacciono molto a Francesca, *(regalare alcuni)* — gliene ho regalati alcuni.
6. Siccome i cioccolatini piacciono molto a Gigi, *(offrire alcuni)* ______________
7. Siccome i francobolli piacciono molto alle mie ospiti, *(mostrare alcuni)* ______________

9. Rispondere

1. Mi presenti quella ragazza? — Ma te l'ho già presentata!
2. Mi racconti quella storia? ______________
3. Mi restituisci quella chiave? ______________
4. Mi consegni il piano di lavoro? — Ma te l'ho già consegnato!
5. Mi prepari quel programma? ______________
6. Mi dai quell'indirizzo? ______________

10. Rispondere

1. Ci presenti quelle ragazze? — Se ben ricordate, ve le ho già presentate.
2. Ci racconti quelle barzellette? ______________
3. Ci restituisci quelle chiavi? ______________
4. Ci consegni i piani di lavoro? — Se ben ricordate, ve li ho già consegnati.
5. Ci prepari quei programmi? ______________
6. Ci dai quegli indirizzi? ______________

11. Completare (con i pronomi)

1. Cinque anni di prigione non ________ sono bastati! ________ sei subito rimesso al "lavoro". Adesso ________ racconti quello che è successo sabato notte in casa della marchesa.
2. E va bene, Commissario, ________ dirò tutto.
3. Chi sono stati i tuoi complici? Fuori i nomi! – Su questo non ________ caverà una parola di bocca.
4. Senti, amico, il furto non puoi aver______ fatto da solo. ________ conviene parlare. Come hai trovato il complici?
5. ________ ________ ha forniti la Sdentata.
6. Ah, ________ ________ ha trovati la Sdentata?!
7. E chi ________ ha dato la pianta della villa?.
8. No. Questo non posso dir________ .
9. ________ ________'ha data il maggiordomo.
10. ________ ________ ha date .... Commissario, non posso .....
11. Non fare storie! Chi ________ ________ha date?
12. Adesso devi dir______ chi è entrato con te nella villa.
13. Facile. Avevamo lo spray soporifero. ________'abbiamo spruzzato sul muso... ________ abbiamo spruzzato tanto.

l'edicola

12. Completare (con le preposizioni)

1. Gigi, ladro ben noto __________ polizia, dopo cinque anni __________ prigione, è __________ libertà.
2. Ma ora si trova __________ nuovo __________ commissariato.
3. Cinque anni __________ prigione non ti sono bastati!
4. Ti sei subito rimesso __________ "lavoro".
5. Adesso mi racconti quello che è successo sabato notte __________ casa __________ marchesa.
6. Chi sono stati i tuoi complici? Fuori i nomi! – __________ questo non mi caverà una parola __________ bocca.
7. Senti, amico, il furto non puoi averlo fatto __________ solo.
8. Ah! te li ha trovati la Sdentata?! E chi vi ha dato la pianta __________ villa?
9. E le chiavi __________ villa?
10. E la combinazione __________ cassaforte?
11. Adesso devi dirmi chi è entrato __________ te __________ villa.
12. Sì, il Muto ci aspettava __________ macchina e il Tappo controllava la situazione.
13. E __________ i cani che ancora dormono, come avete fatto?
14. Avevamo lo spray soporifero. Gliel'abbiamo spruzzato __________ muso...

13. Riordinare le parole

1. ben - polizia, - anni - è - ladro - alla - cinque - prigione, - libertà. - Gigi, - noto - dopo - di - in
2. anni - non - bastati! - rimesso - Cinque - prigione - sono - sei - "lavoro". - di - ti - Ti - al - subito
3. non - una - bocca. - questo - mi - parola - Su - caverà - di
4. vi - la - villa? - chi - dato - della - E - ha - pianta
5. dirmi - entrato - nella - devi - è - te - Adesso - chi - con - villa.

lo strillone

14. Combinare le parti di frase

1. Su questo	non	averlo fatto	da solo
2. Questo	non puoi	una parola	di bocca
3. Il furto	non mi caverà	chi è entrato	dirglielo
4. Adesso	devi dirmi	posso	nella villa
5. Chi	hai	la pianta	complici?
6. Come	vi ha dato	trovato	della villa?
7. E chi	sono stati	i tuoi	i complici?

15. Fare la domanda

1. Dopo quanto tempo è in libertà Gigi? – È in libertà dopo cinque anni.
2. ______________________________? – Si trova al commissariato di polizia.
3. ______________________________? – Perché è sospettato di furto.
4. ______________________________? – Glieli ha forniti la Sdentata.
5. ______________________________? – Gliel'ha data il maggiordomo.
6. ______________________________? – La cameriera personale della marchesa.
7. ______________________________? – Sono entrati Gigi, il Lungo e lo Smilzo.

13 SINTESI GRAMMATICALE

PRONOMI ACCOPPIATI NEI TEMPI COMPOSTI

Il pacco?	Carlo		**me** **te** **glie-** **ce** **ve**	**l'**	ha	mandat**o** a casa.	
La lettera?				**l'**		spedit**a** in ufficio.	
Gli sci?				**li**		prestat**i** per un paio di giorni.	
Le barzellette?				**le**		raccontat**e** queste barzellette.	
Quanti maglioni?				**ne**		mandat**o**	un**o**.
Quante lettere?						spedit**a**	un**a**.
Quanti libri?						mandat**i**	due. molt**i**.
Quante riviste?						spedit**e**	due. molt**e**.
Quanti regali?		non	**me** **te** **glie-** **ce** **ve**	**ne**		mandat**o**	nessun**o**.
Quante cartoline?						spedit**a**	nessun**a**.

Chi	ti	ha fornito	i complici?
	vi	ha dato	la pianta della villa?
	vi	ha procurato	la chiave e la combinazione?
Quanti soldi avete dato			a Giovanni?
Quante cartoline hai scritto			

Me li	ha fornit**i** un amico.		
Ce l'	ha dat**a** il maggiordomo.		
Ce le	ha procurat**e** la cameriera.		
Gliene	abbiamo dat**i** molt**i**.		
Gliene	ho	scritt**a**	un**a**.
Non **gliene**			nes-sun**a**.
Gliene		scritt**e**	molt**e**. tre.

PRONOMI INDIRETTI TONICI (o FORTI)

Parli **di me**?	No, non parlo **di te**.
I vostri genitori si preoccupano **di voi**?	Sì, si preoccupano molto **di noi**.
Vieni a cena **da noi**?	Sì, vengo **da voi**.
Da chi dipende questa decisione?	Dipende **da me**.
Perché non vuoi aiuto?	Perché chi fa **da sé** fa per tre.
Hai fiducia **in noi**?	A dire il vero, non ho molta fiducia **in voi**.
Credi **in me**?	Sì, credo **in te**.
Vuoi partire?	Sì, sento **in me** la necessità di cambiare ambiente.
Sei arrabbiato **con me**?	No, non sono mai arrabbiato **con te**.
Stai bene **con noi**?	Sì, sto molto bene **con voi**.
Tu sei il responsabile?	Sì, tutta la responsabilità è **su (di) me**.
Mi aiuterai? Posso stare tranquillo?	Dormi tranquillo! Puoi contare **su (di) me**.
Insomma, per chi è questo pacco, **per noi** o **per voi**?	Né **per voi**, né **per noi**, ma **per loro**.
Lo conosci il proverbio?	Lo conosco bene: ognuno **per sé** e Dio per tutti.
C'è qualcuno **fra/tra voi** che conosce il cinese?	No, non c'è nessuno **fra/tra noi** che lo conosce.
Eri distratto?	Sì, pensavo **fra/tra me** e **me**.

NUMERI ORDINALI

I	1°	Primo	È il primo esame che do. È la prima volta che vengo in Italia.
II	2°	Secondo	L'indice è il secondo dito della mano.
III	3°	Terzo	Per il Duomo deve girare alla terza strada a sinistra.
IV	4°	Quarto	Mio figlio frequenta la quarta classe elementare.
V	5°	Quinto	Mi piace molto la quinta sinfonia di Beethoven.
VI	6°	Sesto	Sabato è il sesto giorno della settimana.
VII	7°	Settimo	Il settimo giorno Dio si è riposato.
VIII	8°	Ottavo	Il terremoto ha raggiunto l'ottavo grado della scala Mercalli.
IX	9°	Nono	Quel signore abita al nono piano del palazzo.
X	10°	Decimo	Quest'argomento è trattato al decimo capitolo.
XI	11°	Undicesimo	Il suo posto è all'undicesima fila di poltrone.
XX	20°	Ventesimo	Viviamo nel ventesimo secolo.
XL 40° Quarantesimo – L 50° Cinquantesimo – C 100° Centesimo D 500° Cinquecentesimo – M 1000° Millesimo			

Attenzione!

Napoleone Primo, Giovanni Ventitreesimo, Vittorio Emanuele Secondo. Smetti di gridare, te lo dico per la prima e l'ultima volta. È un libro che ti avvince dalla prima all'ultima pagina. La signorina è seduta al penultimo banco.

LESSICO

1. *Siccome* cinque anni di galera non ti sono bastati, ti sei rimesso al "lavoro".
2. *Siccome* non posso fumare, mi sono messo a masticare gomma americana.
3. Mi racconti *per filo e per segno* quello che è successo sabato.
4. – Che cosa hai fatto di bello durante il tuo viaggio in Europa?
   – Adesso ti racconto tutto, *per filo e per segno*.
5. – Senti amico, *ti conviene* "cantare"!
   – Sì, se parlo il giudice sarà più comprensivo con me, *mi conviene* dire tutto quello che so.
6. – Perché parti oggi, non è presto?
   – Senti, il lavoro è finito, per domenica è probabile uno sciopero dei treni, dunque *mi conviene* partire oggi.
7. – È stato il maggiordomo a darmi la pianta della villa.
   – Un uomo così fedele, e *chi l'avrebbe detto*!

Adesso una pioggia così e un'ora fa c'era un sole stupendo: nessuno ci pensava, *chi l'avrebbe detto!*

1. — Sono entrati i ladri in casa mia; devo andare in *questura a fare una denuncia*.
2. — Mi *hanno rubato* il portafoglio.
   — Sei sicuro di non *averlo smarrito*?
3. — Dovrò *affidarmi ad un avvocato* per questo problema.
   — Intanto ti conviene informare subito *l'ambasciata* o *il consolato*.

FUNZIONI | ATTI COMUNICATIVI

FUNZIONI		ATTI COMUNICATIVI
Sapere, non sapere, chiedere informazioni	— Tu sai chi ha commesso il furto? — Dimmi tutto quello che sai! — Sai se ci sono dei complici?	— Non so niente!
Porre un fatto come facile	— E con i cani?	— Facile, semplice. — È stato facile. — Una cosa da nulla. — Nessun problema.

Dettare il testo che segue

Un furto

Gigi, ladro ben noto alla polizia, dopo cinque anni di prigione, è in libertà.

Ora si trova di nuovo al commissariato perché su lui pesa il sospetto di un nuovo furto.

Il Commissario lo interroga e gli fa presente che se non parla e non racconta dettagliatamente quello che è accaduto in casa della marchesa, per lui saranno guai.

Gigi si mostra disposto a collaborare, però afferma che i nomi dei complici non glieli farà.

Il Commissario cerca di convincerlo a parlare.

La resistenza di Gigi non dura a lungo e il ladro rivela che i complici glieli ha trovati la Sdentata, la pianta della villa gliel'ha fornita il maggiordomo, le chiavi della villa e la combinazione della cassaforte gliele ha procurate la cameriera personale della marchesa ...

16. Leggere attentamente il testo che precede e ripetere a libro chiuso

17. Cosa significa

1. Raccontare per filo e per segno
2. Su lui pesa il sospetto di un nuovo furto
3. "Cantare"
4. Tornare al "fresco"
5. Tornare nel "giro"
6. Non mi caverà una parola di bocca
7. Fare un colpo
8. Fare da palo
9. Essere complice

lavori forzati

18. Completare liberamente

1. Quel signore si trova al commissariato perché ______
2. Egli si mostra disposto a ______
3. Cerco di convincerlo a ______
4. Quasi sempre lui finisce con ______
5. Se farai attenzione ti racconterò per filo e per segno come ______: chi ______; dove ______ e perché ______.

19. Domande personalizzate

1. Ha mai subito un furto? Racconti.
2. Nella casa dei vicini che Lei sa fuori, vede luci accese e movimenti strani; che cosa pensa? Che cosa fa?
3. Quando in casa sente un rumore improvviso e sospetto, quali sono le Sue reazioni?
4. Immagini un interrogatorio in un ufficio di polizia.

20. Per la composizione

1. Quale è la funzione della polizia nei confronti dei cittadini?
2. In quasi tutto il mondo si parla di droga, di violenza, di ingiustizia .... .

GIORNALI E TV

Con la parola "giornale" intendiamo una pubblicazione non solo quotidiana, che registra le notizie del giorno, ma anche settimanale, quindicinale, o mensile di carattere politico, economico, scientifico, sportivo, di attualità, di moda e di vita femminile, di costume ed altro.

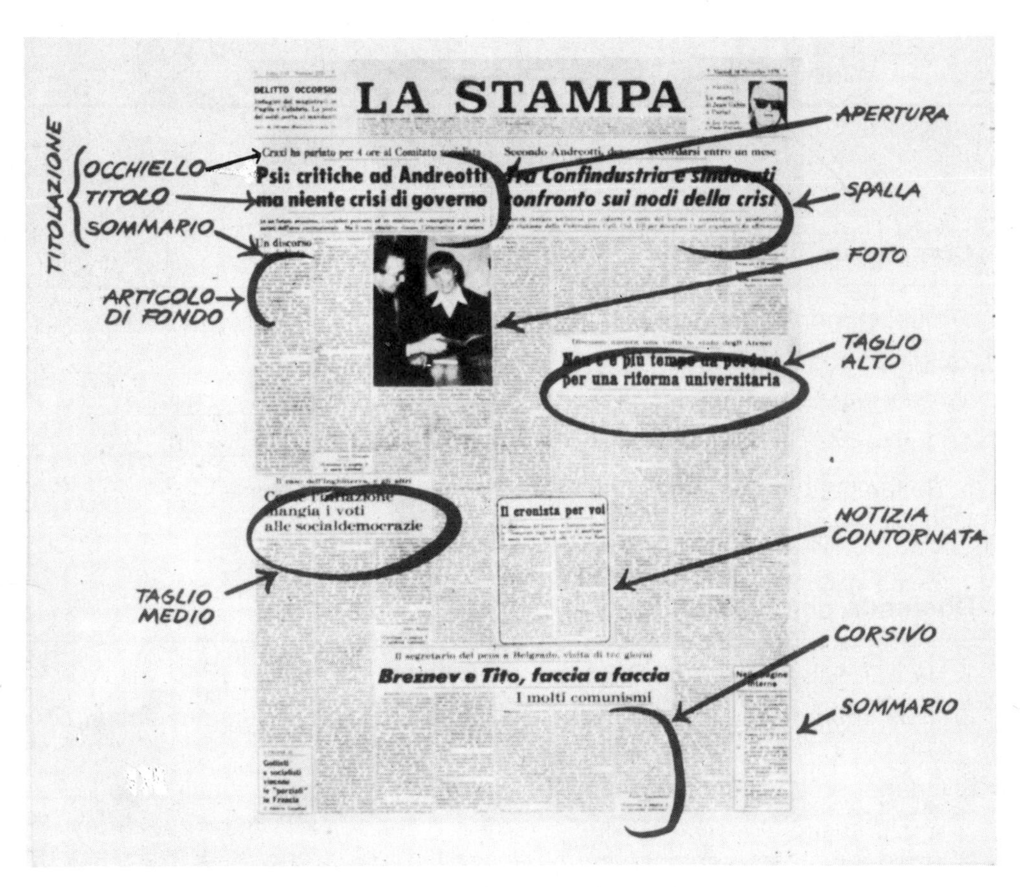

La prima pagina di un quotidiano italiano.

Nel giornale italiano la disposizione della materia è generalmente la seguente: nella *prima pagina*, che è poi la facciata del quotidiano e ce ne dà l'immagine, c'è il *titolo*, il nome del giornale, la "testata", come si dice, con la presentazione degli avvenimenti di maggiore importanza e articoli di fondo con commenti e analisi che chiariscono le intenzioni politiche che sono alla base del giornale.

Quotidiani di maggiore diffusione in Italia.

Nella *seconda pagina*, ci sono notizie sindacali e di politica interna.

Nella *terza pagina* si presenta una grande varietà di argomenti di natura artistico-letteraria. È questa una caratteristica del quotidiano italiano che, con la collaborazione di illustri scrittori, critici, saggisti, ha saputo avvicinarsi ad una grande massa di lettori.

Nella *quarta, quinta, sesta pagina,* cronaca interna di argomento giudiziario, notizie sul tempo metereologico, pubblicità, lettere al giornale, necrologi.

Nella *settima pagina* notizie dall'estero.

Nelle pagine successive possiamo seguire ancora rubriche di arte, musica, scienza, tecnologia, salute, bellezza, libri, pubblicità.

Seguono le *pagine economiche* e *finanziarie* con notizie sugli affari, sulla borsa, sui mercati.
Una parte importante è riservata alle notizie dello sport ed alle cronache locali, relative cioè alle città in cui il giornale ha prevalente diffusione.

13

Per quanto riguarda *la lingua* dei giornali, possiamo dire, con lo studioso Bruno Migliorini, che il quotidiano è “il principale luogo di scambio tra la lingua scritta e la lingua parlata”. Vi troviamo, infatti, tutte le varietà della lingua scritta, da quella letteraria a quella burocratica, tecnica.

Le riviste di attualità, politica, economia.

Quotidiani di maggior diffusione in Italia:

Il Corriere della sera di Milano, la Repubblica di Roma (non esce il lunedì), La Stampa di Torino, Il Giornale di Milano, Il Giorno di Milano, Il Messaggero di Roma, Il Tempo di Roma, La Nazione di Firenze, Il Resto del Carlino di Bologna.

Organi ufficiali di partiti politici:

La Voce Repubblicana del Partito Repubblicano Italiano (Roma), Il Popolo della Democrazia Cristiana (Roma), L'Unità del Partito Comunista Italiano (Roma), L'Avanti! del Partito Socialista Italiano (Roma), Il Secolo del Movimento Sociale Italiano (Roma).

Giornali organi di partiti politici.

Stampa Cattolica:

L'Osservatore Romano (Città del Vaticano), La Famiglia Cristiana (Cuneo).

Per i quotidiani sportivi si veda a pag. 177 Unità n. 8.

Segue poi una lunga serie di settimanali illustrati, di settimanali per la donna, di riviste scientifiche, di arredamento, di varia divulgazione.

Riviste di varia natura.

La televisione

Grande spazio prende, oggi, la televisione, specialmente in Italia. Accanto ad una TV di stato con tre programmi, ci sono un numero imprecisato di trasmittenti private commerciali che non interrompono i loro programmi nelle ventiquattro ore.

GIORNALI E TELEVISIONE (DAL VIDEOCORSO)

Con la parola "giornale" intendiamo una pubblicazione non solo quotidiana che registra le notizie del giorno, ma anche settimanali, quindicinali o mensili di carattere politico, economico, scientifico, storico, di attualità, di moda e attività femminile, di costume ed altro.
Nelle pagine dei quotidiani italiani sono presenti, in prevalenza, notizie politiche, letterarie, cronaca di varia natura, notizie economiche e di sport.
I giornali di maggiore diffusione in Italia sono: Il Giornale (di Milano), Il Corriere della Sera (di Milano), Il Messaggero (di Roma), Il Tempo (di Roma), La Stampa (di Torino), La Repubblica (di Roma), La Nazione (di Firenze), il Paese Sera (di Roma), Il Mattino (di Napoli), La Gazzetta del Mezzogiorno (di Bari), e altri.
Organi ufficiali di partiti politici: L'Unità del Partito Comunista Italiano, L'Avanti! del Partito Socialista Italiano, Il Popolo della Democrazia Cristiana, La Voce Repubblicana del Partito Repubblicano Italiano e altri.
La stampa cattolica: L'Osservatore Romano della Città del Vaticano, L'Avvenire, Famiglia Cristiana, periodico di Cuneo.
L'Italia è forse il solo Paese in cui ci sono più quotidiani sportivi, a diffusione nazionale: Il Corriere dello Sport, Tuttosport, La Gazzetta dello Sport.
Segue poi una lunga serie di settimanali illustrati: L'Espresso, La Domenica del Corriere, l'Europeo, Epoca, Panorama ed altri.
Settimanali per la donna: Gioia, Anna Bella, Amica, Grazia.

Grande spazio prende, oggi, la televisione in Italia.
Accanto ad una TV di Stato con tre programmi: Raiuno, Raidue, Raitre, DSE (Dipartimento Scuola Educazione) ci sono, in numero imprecisato, reti private commerciali che trasmettono i loro programmi per 24 ore e che permettono una scelta molto varia e diversificata.

21. Questionario

1. Che cosa è un quotidiano?
2. Quale è la disposizione degli argomenti in un giornale italiano?
3. Che cosa è la "testata"?
4. Quali quotidiani italiani conosce?
5. Si avvicini ad una edicola di giornali, cerchi di rilevare più titoli possibili e poi ne parli con il Suo insegnante.
6. Quale è la lingua tipica dei giornali italiani?
7. L'edizione domenicale dei giornali del Suo Paese ha qualcosa di speciale?
8. Quali sono le caratteristiche della stampa nel Suo Paese?
9. Ha mai seguito un programma televisivo italiano? Ne parli.
10. Differenze ed analogie tra la TV in Italia e nel Suo Paese.

FRATELLI D'ITALIA

(parole di Goffredo Mameli - musica di Michele Novaro)

Fratelli d'Italia
l'Italia s'è desta
dell'elmo di Scipio
s'è cinta la testa.

Dov'è la vittoria?
Le porga la chioma
che schiava di Roma
Iddio la creò.

Stringiamci a coorte
siam pronti alla morte
siam pronti alla morte
l'Italia chiamò.

Stringiamci a coorte
siam pronti alla morte
siam pronti alla morte
l'Italia chiamò! Sì!

IMPERATIVO (Lei/Loro)

dal dentista

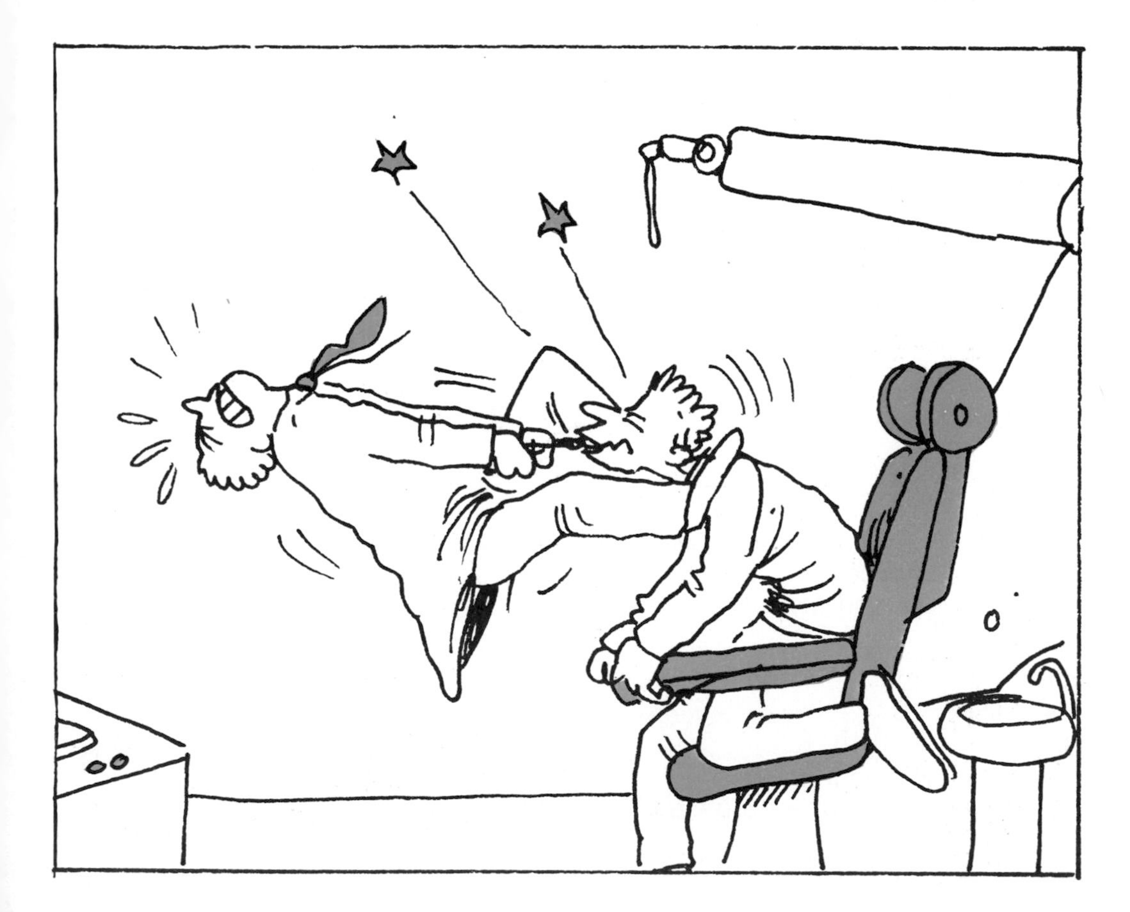

14

L'infermiera apre la porta della sala d'aspetto e si rivolge ai pazienti in attesa.

Infermiera:
Signora, tocca a Lei, *venga*. Signori Rossi, intanto Loro *passino* in questa saletta e *abbiano* pazienza due minuti.

Dentista:
Prego, signora, *si accomodi* qui.

Signora:
Mi raccomando, dottore, non mi *faccia* male!

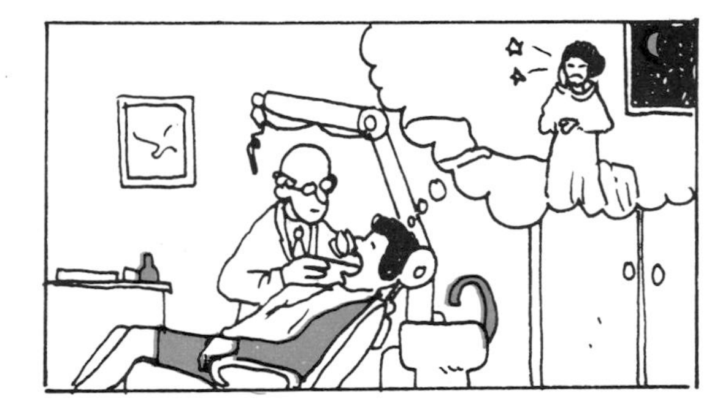

Dentista:
Non *si preoccupi*. Mi *faccia* vedere... Qual è il dente che Le fa male?

Signora:
È questo qui, dottore; mi fa un male terribile. Sono due notti che non dormo. Non ne posso più dal dolore.

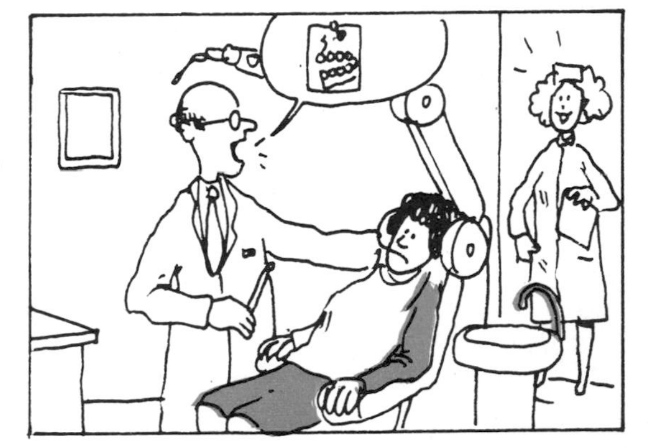

Dentista:
Vedo... Sì... questo molare ha una brutta carie. È necessario fare una radiografia. *Vada* nella stanza accanto. Signorina!

Infermiera:
Dica, dottore!

Dentista:
C'è bisogno di una radiografia per questa signora; gliela *faccia* e me la *porti* subito.

(Pochi minuti dopo)

Dentista:
Come temevo, c'è una brutta carie, però il dente possiamo tentare di salvarlo. Dovrò usare il trapano. Ha paura del trapano, signora?

Signora:
un po'...

Dentista:
Su, da brava, ora *apra* la bocca. L'*apra* bene... Così... così va bene. *Stia* ferma... Non *muova* la testa... Non la *giri*.

Signora:
...

Dentista:
Ecco fatto. Questa volta l'ho medicato. *Ritorni* fra sei giorni.

Signora:
Quanto è, dottore?

Dentista:
Lasci stare. Non ci *pensi*. Ne parleremo quando avrò finito il lavoro.

COMPRENDERE

1. Scelta multipla

1. L'infermiera apre la porta	☐ d'ingresso ☐ della sala d'aspetto ☐ dello studio
2. La signorina si rivolge	☐ ai dottori ☐ ai pazienti ☐ agli odontotecnici
3. A causa del mal di denti, la signora da due giorni	☐ non può dormire ☐ non può mangiare ☐ non può uscire
4. La signora mostra al dottore	☐ un incisivo malato ☐ un canino malato ☐ un molare malato
5. Il dente è	☐ cariato ☐ otturato ☐ spezzato
6. Quanto al dente, il dentista decide di	☐ estrarlo ☐ curarlo ☐ sostituirlo
7. Il dentista, durante la prima seduta, ha	☐ medicato il dente ☐ pulito il dente ☐ tolto il dente
8. La signora deve tornare	☐ la settimana successiva ☐ dopo sei giorni ☐ l'indomani

2. Questionario

1. A chi si rivolge l'infermiera?
2. Chi invita ad accomodarsi?
3. Che cosa dice ai signori Rossi?
4. Perché la signora non dorme da due notti?
5. Che cosa ha il dente della signora?
6. Per la radiografia dove deve andare la signora?
7. Che cosa vuol tentare il medico?
8. Che cosa dovrà usare il dentista?
9. Di che cosa ha paura la signora?
10. Quando deve ritornare la signora?

3. Rispondere

1. Potrei tornare tra sei giorni? — Va bene, torni fra sei giorni.
2. Potrei parlare con il dentista? ______
3. Potrei pagare oggi? ______
4. Potrei guardare la radiografia? ______
5. Potremmo telefonare? — Va bene, telefonino pure.
6. Potremmo aspettare ancora? ______
7. Potremmo cominciare subito? ______
8. Potremmo riposare un po'? ______

4. Replicare

1. Devo scrivere una lettera. — Scriva una lettera, se è necessario.
2. Devo correre dal dentista. ______
3. Devo prendere delle medicine. ______
4. Devo smettere di fumare. ______
5. Dobbiamo rispondere al telegramma. — Rispondano al telegramma, se è necessario.
6. Dobbiamo chiedere il conto. ______
7. Dobbiamo leggere il programma. ______
8. Dobbiamo mettere tutto in ordine. ______

5. Replicare

1. Vorrei dormire fino a mezzogiorno. — Dorma pure fino a mezzogiorno.
2. Vorrei partire di notte. ______
3. Vorrei servire il pranzo. ______
4. Vorrei avvertire la famiglia. ______
5. Vorremmo offrire da bere. — Offrano pure da bere.
6. Vorremmo aprire questo pacco. ______
7. Vorremmo seguire questo corso. ______
8. Vorremmo sentire un pezzetto di questa torta. ______

6. Trasformare

1. Deve finire il lavoro. — Finisca il lavoro.
2. Deve spedire la raccomandata. ______
3. Deve proibire di fumare in classe. ______
4. Deve pulire la macchina. ______
5. Devono finire il lavoro. — Finiscano il lavoro.
6. Devono spedire la raccomandata. ______
7. Devono proibire di fumare in classe. ______
8. Devono pulire la macchina. ______

7. Trasformare

1. Si alzi presto domattina. — Si alzino presto domattina.
2. Si accomodi pure. ______
3. Non si preoccupi. ______
4. Si ricordi di prendere tutto. ______
5. Si fermi qualche giorno. ______
6. Non si dimentichi di telefonare. ______

nella sala d'aspetto, pazienti in attesa

8. Replicare

1. Desidero cambiare casa. — La cambi pure.
2. Desidero cantare una canzone. ______
3. Desidero aspettare la signora. ______
4. Desidero organizzare una escursione. ______
5. Desideriamo invitare le signorine. — Le invitino pure.
6. Desideriamo ascoltare queste cassette. ______
7. Desideriamo guardare queste foto. ______
8. Desideriamo provare queste scarpe. ______

9. Rispondere

1. Possiamo mangiare questi pasticcini? — E perché no, li mangino pure.
2. Possiamo raccontare quei fatti? ______
3. Possiamo ascoltare quei dischi? ______
4. Possiamo fotocopiare questi fogli? ______
5. Posso fumare una sigaretta? — E perché no, la fumi pure.
6. Posso invitare anche Maria? ______
7. Posso guardare la televisione? ______
8. Posso preparare la colazione? ______

10. Replicare

1. Dovrei telefonare a mio padre. — Gli telefoni pure.
2. Dovrei scrivere a Luigi. ______
3. Dovrei rispondere al professore. ______
4. Dovrei parlare al direttore. ______
5. Dovremmo telefonare a nostra madre. — Le telefonino pure.
6. Dovremmo scrivere a Luisa. ______
7. Dovremmo rispondere alla direttrice. ______
8. Dovremmo parlare alla professoressa. ______

11. Completare

1. Chieda questo favore al Suo amico, — glielo chieda subito.
2. Offra un aperitivo agli ospiti, ____________
3. Mandi un bel regalo al professore, ____________
4. Compri un bel libro a Piero, ____________
5. Presenti i Suoi amici alla signorina,— glieli presenti subito.
6. Consegni questi documenti alla direttrice, ____________
7. Porti questi fiori alla signora, ____________
8. Prepari questi panini ai ragazzi, ____________

12. Trasformare

1. Vada a casa. — Vadano a casa.
2. Stia con noi. ____________
3. Venga da noi. ____________
4. Dica la verità. ____________
5. Faccia attenzione. ____________
6. Mi dia una mano. ____________
7. Abbia pazienza. ____________
8. Sia gentile. ____________

13. Completare

1. Se non vuole andare al cinema, — non ci vada.
2. Se non vuole venire a lezione, ____________
3. Se non vuole restare a casa, ____________
4. Se non vuole stare qui, ____________
5. Se non vuole portare i figli a teatro, — non ce li porti.
6. Se non vuole accompagnare gli amici al centro, ____________
7. Se non vuole mettere questi vestiti nella valigia, ____________
8. Se non vuole lasciare i bagagli alla stazione, ____________

14. Completare (con l'imperativo)

1. Signora, tocca a Lei, ______________. Signori Rossi, intanto Loro ______________ in questa saletta e ______________ pazienza due minuti.
2. Prego, signora, si ______________ qui.
3. Mi raccomando, dottore, non mi ______________ male!
4. Non si ______________. Mi ______________ vedere...
5. È necessario fare una radiografia. ______________ nella stanza accanto.
6. Signorina! – ___________, dottore!
7. C'è bisogno di una radiografia per questa signora; gliela ______________ e me la ______________ subito.
8. Su, da brava, ora ___________ la bocca. L'___________ bene; così... così va bene. ___________ ferma... Non ___________ la testa... Non la ___________.
9. Ecco fatto. ___________ fra sei giorni.
10. Quanto è dottore? – ___________ stare. Non ci ___________. Ne parleremo quando avrò finito il lavoro.

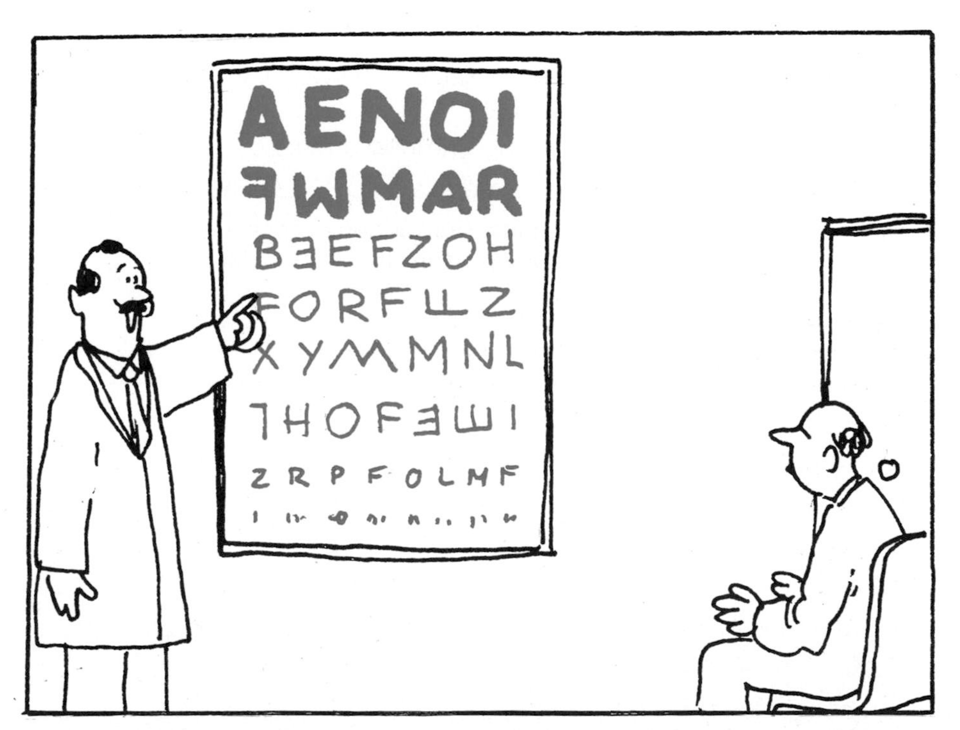

Dall'oculista. Controllo della vista: A(a), B(bi), C (ci), D(di), E(e), F(effe), G(gi), H(acca), I(i), L(elle), M(emme), N(enne), O(o), P(pi), Q(cu), R(erre), S(esse), T(ti), U(u), V(vu), Z(zeta).

15. Completare (con i pronomi)

1. Signora, tocca a ________, venga.
2. Prego, signora, ________ accomodi qui.
3. ________ raccomando, dottore, non ________ faccia male!
4. Sono due notti che non dormo. Non ________ posso più dal dolore.
5. Non ________ preoccupi. ________ faccia vedere ... Qual è il dente che ________ fa male?
6. C'è bisogno di una radiografia per questa signora; ________ faccia e ________ ________ porti subito.
7. Su, da brava, ora apra la bocca! ________'apra bene. ... Così... così va bene. Stia ferma ... Non muova la testa ... Non ________ giri.
8. Ecco fatto. Questa volta ________'ho medicato. Ritorni fra sei giorni.
9. Non ________ pensi. ________parleremo quando avrò finito il lavoro.

16. Completare (con le preposizioni)

1. L'infermiera apre la porta ________ sala ________'aspetto e si rivolge ________ pazienti ________ attesa.
2. Signora, tocca ________ Lei, venga. Signori Rossi, intanto Loro passino ________ questa saletta.
3. Sono due notti che non dormo. Non ne posso più ________ dolore.
4. C'è bisogno ________ una radiografia ________ questa signora.
5. Come temevo, c'è una brutta carie, però il dente possiamo tentare ________ salvarlo. Dovrò usare il trapano. Ha paura ________ trapano, signora?

17. Completare le frasi

1. L'infermiera apre la porta della ________________
2. Si rivolge ai ________________
3. Signora, tocca ________________
4. Prego, signora si ________________
5. Mi raccomando, dottore, non ________________
6. Qual è il dente che ________________
7. Questo molare ha ________________
8. È necessario fare ________________
9. Il dente possiamo tentare di ________________
10. Ha paura del ________________

– Che dolore! Muoio dal dolore!

18. Riordinare le parole

1. la - sala - si - pazienti - apre - della - e - ai - attesa. - L'infermiera - porta d'aspetto - rivolge - in
2. intanto - in - e - due - Signori - Loro - questa - abbiano - minuti. - Rossi, passino - saletta - pazienza

19. Combinare le parti di frase

1. L'infermiera	apre	i signori Rossi	ai pazienti	d'aspetto
	si	la porta	ad	accomodarsi
	prega	la signora	di avere	in attesa
	invita	rivolge	della sala	pazienza

20. Fare la domanda

1. A chi si rivolge l'infermiera? – L'infermiera si rivolge ai pazienti in attesa.
2. ______________________? – Tocca alla signora.
3. ______________________? – I signori passano in una saletta.
4. ______________________? – È questo qui, dottore, il dente che mi fa male.
5. ______________________? – C'è bisogno di una radiografia.
6. ______________________? – C'è una brutta carie.
7. ______________________? – Sì, ho paura del trapano.
8. ______________________? – Lasci stare. Ne parleremo quando avrò finito il lavoro.

IMPERATIVO (Lei-Loro)

PARL-ARE

(Lei)	(non)	parl**i**	ad alta voce!
(Loro)		parl**ino**	

SCRIV-ERE

(Lei)	(non)	scriv**a**	questa lettera!
(Loro)		scriv**ano**	

PART-IRE

(Lei)	(non)	part**a**	domani!
(Loro)		part**ano**	

FIN-IRE

(Lei)	(non)	finisc**a**	presto!
(Loro)		fini**scano**	

Uso prevalente dell'imperativo

- **comando o invito** (Si accomodi qui e attenda!)
- **consiglio** (Mi ascolti, aspetti qualche giorno prima di partire!)
- **preghiera** (Mi raccomando, non mi faccia male!)

IMPERATIVO e pronomi

Non **spedisca** questa lettera oggi,		**la**	**spedisca** domani!
Fumino una sigaretta, ma		**la**	**fumino** fuori!
Inviti la professoressa,		**la**	**inviti** per telefono!
Scriva	al professore, a Suo padre, agli amici	**gli**	**scriva** oggi stesso!
Scriva	a Sua madre,	**le**	**scriva** oggi stesso!
Mi	**mandi** una cartolina	**me**	**la** **mandi** appena arriverà!
Ci	**mandi** una cartolina	**ce**	**la** **mandi** appena arriverà!
Se	è stanco,	**si**	**accomodi** e **si riposi**!
Se	sono stanchi,	**si**	**accomodino** e **si riposino**!

USO DI CI

Vi lavate con acqua calda?	No, **ci** laviamo con acqua fredda.	***ci*** = noi stessi/e
Perché chiami quel signore?	Perché **ci** indichi la strada.	***ci*** = a noi
Perché le mandate dei fiori?	Perché **ci** aiuta sempre.	***ci*** = noi
Quel signore ti ha salutata.	Ah sì? Non **ci** ho fatto caso.	***ci*** = a ciò, a questa o quella cosa
Penserai **a quello che ti ho detto**?	Sì, **ci** penserò.	
Tu non credi **a quello che scrive**?	No, non **ci** credo.	
Ti sei abituato **a bere il vino**?	No, non mi **ci** sono abituato.	
Andrai **a Venezia**?	Sì, **ci** andrò sabato, **ci** resterò solo due giorni, ma **ci** ritornerò durante le vacanze.	***ci*** = in questo o quel luogo
Mi racconti una fiaba?	Sì. **C'**era una volta una bambina piccola, piccola...	***ci*** + *essere* = esistere, trovarsi
Come stai **con Marco e la sua famiglia**?	**Ci** sto bene, mi **ci** trovo bene.	***ci*** = con questa o quella persona (cosa)
Perché non parli **con il segretario**?	**Ci** parlerò senz'altro.	
Posso giocare **con il tuo cane**?	No, è meglio che non **ci** giuochi e non **ci** scherzi.	
Perché lo butti quest'accendino?	Non fumo più e non so che cosa far**ci**.	
Hai una sigaretta?	Mi dispiace, non **ce** l'ho.	***ci*** pleonastico
Devo accendere la luce?	Sì, non **ci** si vede bene **qui**.	
Perché parli così forte?	Perché lui **ci** sente poco.	
C'è un posto libero?	No, **qui** non **c'**è posto.	
Posso uscire?	Va' pure, **ci** sto attenta io **al bambino**.	
Quanto tempo occorre per riparare la macchina?	**Ci vorranno** due giorni.	***ci*** in locuzioni fisse
Non riuscirà a finirla per domattina?	No, non **ce la farò** sicuramente.	

USO DI NE

Quanti romanzi hai letto in questo periodo?	**Ne** ho letti tanti.	***ne*** = partitivo
Hai scritto **delle cartoline?**	No, non **ne** ho scritta nessuna.	
Posso parlarti adesso **di lui**	Sì, parlame**ne** adesso.	***ne*** = di lui, di lei di loro, di esso, di ciò, di questa o quella cosa
Parlerai allo zio **della mia proposta**	Si, glie**ne** parlerò.	
Subirai le conseguenze **di tutto quello che hai fatto.**	Sì, purtroppo **ne** subirò le conseguenze.	
Chi è l'autore **di questo quadro**	**Ne** sono io l'autore.	
Che pensi **del mio vestito**	Che vuoi che **ne** pensi? È semplicemente bello.	
È uscito **da quell'osteria**	Sì, **ne** è uscito completamente ubriaco.	***ne*** = da questo o quel luogo
È tornato **dagli Stati Uniti**	Sì, **ne** è ritornato ricco sfondato.	
Non mi vuoi più bene?	No, non me **ne** importa più niente **di te**.	***ne*** = pleonastico
È simpatico?	**Di persone** simpatiche come lui **ne** ho conosciute poche.	
Hai letto **molti libri**	Sì, **di libri ne** ho letti tanti.	
Sai più niente **di Giorgio**	Che vuoi che **ne** sappia **di lui**.	
Che fai lì?	Niente. Me **ne** sto **qui** buono buono e aspetto.	
Lasci questo Paese?	Sì, me **ne** vado finalmente **da qui**, me **ne** ritorno a casa.	
Si è offeso?	Sì, **se n'è avuto a male**.	***ne*** = in locuzioni fisse
Sei stanco di fare questo lavoro?	Sì, **non ne posso più**.	
La tua amica è arrabbiata con te?	Sì, **me ne vuole**.	
Valeva la pena **di fare tutto questo viaggio**	No, non **ne valeva la pena**.	
Sei in pericolo?	Sì, **ne va** della mia vita.	

OCCHIO ALLA LINGUA! 14

LESSICO

1. — *Mi raccomando,* dottore, non mi faccia male!
2. — Ecco le chiavi della macchina, ma, *mi raccomando*, vada piano!
3. — Sono due notti che non dormo. *Non ne posso più dal dolore*!
4. — Sono stanco, sono stufo, *non ne posso più!*
5. — Vada nella stanza accanto, *è questione di* pochi istanti.
6. — Quanto tempo ci vuole per riparare questo orologio?
   — Bisogna vedere qual è il guasto: può *essere questione di* un'ora o *di* un giorno.
7. — Presto! La signora non si sente bene, *c'è bisogno di* un medico.

Con i bambini *c'è bisogno di* tanta pazienza.

1. — *Il dottore* ti *ha visitato*?
   — Sì. *La malattia* non è grave e questa è *la ricetta delle medicine*.
2. — Ha fatto una brutta caduta: forse *si* è *fratturato* una gamba; l'hanno portato al *pronto soccorso*.
3. — Perché sempre questa *febbre*, dottore? Di che malattia si tratta?
   — Non si preoccupi, è solo *un'influenza*; ma è fastidiosa e deve *riguardarsi*.

FUNZIONI	ATTI COMUNICATIVI		
Raccomandare, pregare di fare o non fare	— Mi raccomando, — La prego,	dottore,	non mi faccia male!
Porre un fatto come necessario	— Signorina,	c'è bisogno di è necessario è indispensabile è bene	fare una radiografia.
Porre un fatto come non necessario	— Signorina,	non è necessario non bisogna non importa	far niente.

Dettare il testo che segue

Dal dentista

L'infermiera apre la porta della sala d'aspetto e si rivolge ai pazienti in attesa. Invita la signora ad accomodarsi perché è il suo turno e prega i signori Rossi di avere pazienza ancora un po'.

La signora entra nello studio del dentista, si accomoda sulla poltrona e, preoccupatissima, dice: — La prego, dottore, non mi faccia male, abbia molta pazienza con me perché ho una gran paura!
— Si tranquillizzi, non tema — risponde il dentista — se necessario faremo un'anestesia e Le assicuro che non sentirà quasi niente.

La signora indica al dottore il dente che le fa male e che non la fa dormire da due notti.

Il dentista rileva nel molare malato una brutta carie. La radiografia, che ordina, conferma un danno abbastanza esteso, ma comunque curabile

Dopo l'anestesia, inizia un delicato lavoro di trapano.

Alla fine stabilisce il programma delle sedute future per la cura, l'otturazione, fino al recupero completo del molare.

21. Leggere attentamente il testo che precede e ripetere a libro chiuso

22. Che cosa significa

1. L'infermiera
2. Sala d'aspetto
3. Temere
4. Anestesia
5. Carie
6. Trapano
7. Non ne posso più

23. Completare il dialogo liberamente

1. Dentista — Prego, signor Enrico, si accomodi qui!
   Enrico — ______________________
2. Dentista — Non si preoccupi. Mi faccia vedere.
   Enrico — ______________________
3. Dentista — È vero, questo molare ha una brutta carie e c'è bisogno del trapano.
   Enrico — ______________________
4. Dentista — Ha paura del trapano?
   Enrico — ______________________
5. Dentista — Bene, allora faremo un'anestesia e non sentirà niente ...
   Enrico — ______________________

24. Domande personalizzate

1. Quali sono i nomi precisi dei denti?
2. Assistenza medica pubblica e privata nel Suo Paese.
3. Le piacerebbe essere medico? E perché?
4. I Suoi appuntamenti con il dentista.

25. Per la composizione scritta

1. La medicina oggi: cuore di plastica, cuore umano, cuore di babbuino.
2. Ad un parente all'ospedale scriva una lettera, spieghi perché è stato impossibile andare a trovarlo e comunichi qualche buona notizia per "tirarlo su".

ITALIA OGGI

L'Italia è una democrazia rappresentativa, fondata su grandi forze popolari più sensibili a forme di solidarietà collettiva che a forme di individualismo.

Il governo è parlamentare, non popolare.

L'economia, per vastissimi settori è, o dovrebbe essere, governata dal Parlamento. Ed è divisa fra una parte privata (le società) e una parte pubblica (le aziende ENI, IRI, ENEL, ecc.) (1).

Esistono poi più centri che esercitano un potere non controllabile dal Parlamento (la Magistratura, le Regioni, la Corte Costituzionale).

Lo Stato pertanto si può definire uno stato sociale con forti connotati assistenziali.

Alcide De Gasperi (1881-1954) Presidente del Consiglio dei Ministri dal 1945 al 1953.

Luigi Einaudi (1874-1961) Presidente della Repubblica dal 1948 al 1955.

La società politica in Italia

La società politica italiana dal 1943-45, con la caduta del regime fascista e la caduta del neo-fascismo (come minoranza che tiene il potere col supporto militare nazista) è caratterizzata:

1. - dalla *centralità dei partiti antifascisti* che hanno ricostruito l'Italia in tutti i sensi nel vuoto della società civile e delle istituzioni;

2. - dalla *pluralità dei partiti* (favorita dalla legge elettorale, fondata sulla proporzionale pura) nessuno dei quali gode della maggioranza assoluta;

3. - dalla esclusione dal potere del neofascismo, che rifiuta la Costituzione Repubblicana e del P.C.I. (Partito Comunista Italiano), che rifiuta le alleanze occidentali;

4. - dalla necessità di ricorrere a *coalizioni centriste*, tra partiti non sempre omogenei (ora di centro-destra, ora di centro-sinistra): coalizioni che, in genere, sono assai instabili e talora anche conflittuali.

(1) - ENI - Ente Nazionale Idrocarburi.
IRI - Istituto per la Ricostruzione Industriale.
ENEL - Ente Nazionale per l'Energia Elettrica.

I simboli dei maggiori partiti politici italiani.

I partiti politici

I partiti protagonisti della vita politica italiana del dopoguerra sono:

D.C. (Democrazia Cristiana)
P.D.S. (Partito Democratico della Sinistra)
P.S.I. (Partito Socialista Italiano)
P.S.D.I. (Partito Socialista Democratico Italiano)
LEGA
RIFONDAZIONE COMUNISTA

P.R.I. (Partito Repubblicano Italiano)
P.L.I. (Partito Liberale Italiano)
M.S.I. (Movimento Sociale Italiano - Destra Nazionale)

Natura diversa, più di movimento che di partito, anzi spesso di antipartito, hanno il Partito Radicale e le Leghe che hanno raccolto percentuali sorprendenti.

È stata evidente la preminenza della D.C. e del P.C.I. (oggi diviso in P.D.S. e Rifondazione Comunista) che assieme hanno raccolto, in passato, la maggioranza del consenso elettorale. Per cui i possibili governi si devono costituire attorno ad uno di questi partiti. Ma soltanto la D.C. è stata capace di coalizzare altre forze o in posizione subalterna o in posizione paritaria.

Quindi il sistema si presenta come sistema insieme instabile e stabilmente bloccato.

ITALIA OGGI (DAL VIDEOCORSO)

L'Italia è una democrazia rappresentativa fondata su grandi forze popolari.
La democrazia nasce con la fine del regime fascista nel 1945.
Siamo nel 1948: le prime elezioni politiche.
E le elezioni di oggi: sempre in un clima di grande libertà e autonomia.
Un po' di storia: 25 Aprile 1945, l'Italia è liberata dal nazifascismo.
Alcide De Gasperi, della Democrazia Cristiana, è alla guida del governo; cerca di riportare la vita del Paese alla normalità con moderazione ed equilibrio.
Lo stesso con Palmiro Togliatti, segretario del Partito Comunista Italiano e con Pietro Nenni, segretario del Partito Socialista Italiano.
Ecco Pietro Nenni mentre si prepara a parlare alla gente.
Ed Alcide De Gasperi durante un comizio.
E Palmiro Togliatti.
I protagonisti della vita politica italiana sono i partiti. Questi i loro simboli: la Democrazia Cristiana, il Partito Comunista Italiano, il Partito Socialista Italiano, il Partito Repubblicano Italiano, il Partito Socialdemocratico Italiano, il Partito Liberale Italiano, il Movimento Sociale Italiano-Destra Nazionale, Democrazia Proletaria, il Partito Radicale.
Poiché nessun partito politico supera il 50% dei voti, il governo – ecco la sala dove i ministri si riuniscono – nasce dall'incontro di più forze politiche che formano una coalizione.
Il Presidente del Consiglio, Capo del Governo, è nominato dal Presidente della Repubblica.
Esistono poi più organismi istituzionali che esercitano un potere autonomo dal Parlamento: la Magistratura, le Regioni e la Corte Costituzionale, di cui vediamo le immagini, che ha lo scopo di controllare il rispetto della Costituzione Repubblicana da parte di tutti gli organi dello Stato.

26. Questionario

1. Come si può definire lo Stato Italiano?
2. Qualè è la natura del governo italiano?
3. Da chi è governata l'economia italiana?
4. Quali sono gli altri centri di potere indipendenti dal Parlamento?
5. Quali coalizioni hanno governato l'Italia nel dopoguerra?
6. Su quali elementi è basata la società politica italiana?
7. Quali sono e quali orientamenti politici esprimono i partiti politici italiani?
8. Quali sono i due più grandi partiti italiani e le relative percentuali?

IMPERATIVO (tu/noi/voi)

ferragosto

15

Tempo di vacanze: molti Italiani si mettono in viaggio con la famiglia e si dirigono verso il mare, i laghi, i monti ...

(Preparativi)

Giuseppe:
Clara, *passami* quella valigia!

Clara:
Quale?

Giuseppe:
Quella grande. E *prendi* la sedia a sdraio.

Clara:
Scusa, Giuseppe, ma non la vedo.

Giuseppe:
È lì, dietro il tavolo da campeggio. *Portala* qui! Presto! *Prendi* anche il cestino per il picnic.

Clara:
E dove li metto?

Giuseppe:
Dalli a me. E l'ombrellone? *Cerca* l'ombrellone!

Clara:
Eccolo! *Non ti innervosire*!

Giuseppe:
Ho fatto. *Chiama* i ragazzi! Si parte!

Ragazzi:
Possiamo portare anche le racchette da tennis?

Giuseppe:
Fate come volete, ma *muovetevi*!

Ragazzi:
Allora *portiamole* !

Giuseppe:
Chiudete bene gli sportelli, *allacciate* le cinture. *Partiamo* !

(Sulla strada)

Clara:
Giuseppe, mi raccomando, *va* piano!

Giuseppe:
Ma vado a sessanta chilometri all'ora!

Clara:
Vai troppo veloce per me; quindi *fammi* il piacere, *rallenta!*

Giuseppe:
Così non arriveremo mai!

Clara:
Non fa niente. Meglio arrivare tardi che mai. *Fa* attenzione a quella bicicletta!

Giuseppe:
La sorpasso!

Clara:
No, *non farlo! Non sorpassarla!* Qui è pericoloso.

Giuseppe:
Invece la sorpasso!

Clara:
Metti la freccia! *Suona!*

Giuseppe:
Non posso suonare, sono in un centro abitato.

Clara:
E allora *non suonare*... Perché suonano le macchine dietro?

Giuseppe:
Perché vado troppo piano.

Clara:
E allora che aspetti? Il centro abitato l'hai superato. *Va* più svelto! *Sbrigati! Corri!*

Giuseppe:
–...?!

COMPRENDERE

1. Scelta multipla

1. Giuseppe chiede alla moglie di passargli
   - ☐ la borsa
   - ☐ la valigia
   - ☐ il sacco
2. La sedia a sdraio è
   - ☐ dietro il tavolo da campeggio
   - ☐ dietro la porta
   - ☐ dietro la macchina
3. Giuseppe non riesce a trovare
   - ☐ gli occhiali
   - ☐ la patente
   - ☐ l'ombrellone
4. Clara dice al marito di non
   - ☐ preoccuparsi
   - ☐ innervosirsi
   - ☐ arrabbiarsi
5. I ragazzi chiedono se possono portare
   - ☐ le racchette da tennis
   - ☐ le palle da tennis
   - ☐ le scarpe da tennis
6. Prima di partire, Giuseppe raccomanda di chiudere
   - ☐ gli sportelli
   - ☐ l'acqua
   - ☐ il gas
7. Giuseppe va a
   - ☐ 80 Km. all'ora
   - ☐ 60 Km. all'ora
   - ☐ 100 Km. all'ora
8. Un proverbio italiano dice: meglio arrivare tardi che
   - ☐ domani
   - ☐ mai
   - ☐ non arrivare
9. Giuseppe vuol sorpassare
   - ☐ un'automobile
   - ☐ una bicicletta
   - ☐ un autotreno
10. Giuseppe non può suonare perché è
    - ☐ in un centro abitato
    - ☐ vicino all'ospedale
    - ☐ vicino a una scuola

Finalmente sulla spiaggia!

2. Vero o Falso?

	V	F
1. Il marito si mette in viaggio per motivi di lavoro.	☐	☐
2. Chiede alla moglie di passargli la valigia grande.	☐	☐
3. I ragazzi decidono di non portare le racchette da tennis.	☐	☐
4. Giuseppe dice di chiudere bene gli sportelli.	☐	☐
5. Giuseppe dice di allacciare la giacca.	☐	☐
6. Clara raccomanda al marito di andare piano.	☐	☐
7. Clara pensa che a quella velocità non arriveranno mai.	☐	☐
8. Meglio arrivare tardi che mai.	☐	☐
9. Le macchine dietro suonano perché Giuseppe va molto piano.	☐	☐
10. Alla fine, Clara raccomanda al marito di sbrigarsi.	☐	☐

3. Questionario

1. Dove si dirigono gli Italiani in vacanza?
2. Giuseppe che cosa carica in macchina?
3. Che cosa chiedono i ragazzi prima di partire?
4. Cosa risponde il padre?
5. Che cosa raccomanda alla famiglia al momento della partenza?
6. Clara che cosa raccomanda al marito?
7. La moglie è tranquilla o preoccupata quando il marito guida?

4. Completare

1. Se vuoi studiare, — studia!
2. Se vuoi lavorare, ______
3. Se vuoi restare, ______
4. Se vuoi entrare, ______
5. Se vuoi telefonare, ______
6. Se vuoi aspettare, ______

5. Completare

1. Se hai voglia di leggere, — leggi!
2. Se hai voglia di scrivere, ______
3. Se hai voglia di rispondere, ______
4. Se hai voglia di dormire, ______
5. Se hai voglia di partire, ______
6. Se hai voglia di proseguire, ______

6. Trasformare

1. Dormi ancora! — Non dormire più!
2. Mangia ancora! ______
3. Leggi ancora! ______
4. Aspetta ancora! ______
5. Parla ancora! ______
6. Scrivi ancora! ______

7. Completare

1. Se dobbiamo entrare, — entriamo!
2. Se dobbiamo uscire, ______
3. Se dobbiamo salire, ______
4. Se dobbiamo scendere, ______
5. Se dobbiamo rimanere, ______
6. Se dobbiamo smettere, ______

8. Completare

1. Se volete correre, — correte!
2. Se volete rispondere, ______
3. Se volete leggere, ______
4. Se non volete tornare, — non tornate!
5. Se non volete ascoltare, ______
6. Se non volete andare, ______

9. Completare

1. Se vuoi accomodarti, — accomodati!
2. Se vuoi riposarti, ______
3. Se vuoi avvicinarti, ______
4. Se vuoi prepararti, ______
5. Se vuoi alzarti, ______
6. Se vuoi lavarti, ______

10. Trasformare

1. Alzati! — Non alzarti!
2. Fermati! ______
3. Preparati! ______
4. Allontanati! ______
5. Accomodati! ______
6. Riposati! ______

11. Completare

1. Se dobbiamo alzarci, — alziamoci!
2. Se dobbiamo fermarci, ______
3. Se dobbiamo prepararci, ______
4. Se volete riposarvi, — riposatevi!
5. Se volete accomodarvi, ______
6. Se volete avvicinarvi, ______

12. Completare

1. Se vuoi fumare una sigaretta, — fumala!
2. Se vuoi cambiare la macchina, ____________
3. Se vuoi leggere questa rivista, ____________
4. Se vuoi scrivere una lettera, ____________
5. Se non vuoi invitare Mario, — non invitarlo!
6. Se non vuoi fare l'esame, ____________
7. Se non vuoi cambiare appartamento, ____________
8. Se non vuoi chiudere il finestrino, ____________

13. Rispondere

1. Possiamo ascoltare questa cassetta? — E perché no, ascoltatela!
2. Possiamo salutare Clara? ____________
3. Possiamo tenere ancora la vostra rivista? ____________
4. Possiamo portare la racchetta da tennis? ____________
5. Possiamo prendere la vostra borsa? ____________
6. Possiamo comprare una nuova cassetta? ____________

il bagnino

14. Replicare

1. Dovrei telefonare a mio padre. — Telefonagli pure!
2. Dovrei scrivere a Luigi. ______________________
3. Dovrei rispondere al professore. ______________________
4. Dovremmo telefonare a nostra madre. — Telefonatele pure!
5. Dovremmo scrivere a Clara. ______________________
6. Dovremmo rispondere alla professoressa. ______________________

15. Completare

1. Ho bisogno di quella chiave, *(consegnare)* — consegnamela!
2. Ho bisogno di quella rivista, *(passare)* ______________________
3. Ho bisogno di una valigia, *(prestare)* ______________________
4. Ho bisogno di quella ricetta, *(scrivere)* ______________________
5. Ho bisogno di una cravatta, *(comprare)* ______________________
6. Ho bisogno di una buona sistemazione, *(trovare)* ______________________

16. Trasformare

1. Paolo, va via! — Non andare via!
2. Paolo, vieni qui! ______________________
3. Paolo, di' tutto! ______________________
4. Paolo, sii qui alle 7! ______________________
5. Paolo, abbi pazienza con lei! ______________________
6. Paolo, fa attenzione! ______________________
7. Paolo, sta zitto! ______________________
8. Paolo, dà a Maria il tuo indirizzo! ______________________

17. Completare

1. Se vuoi andare a casa, — vacci!
2. Se vuoi andare al cinema, ______
3. Se vuoi andare al centro, ______
4. Se non vuoi andare a lezione, — non andarci!
5. Se non vuoi andare in biblioteca, ______
6. Se non vuoi andare in banca, ______

il picnic sulla spiaggia

18. Completare

1. Se vuoi fare questo lavoro, — fallo subito!
2. Se vuoi fare questo esame, ______
3. Se vuoi fare questo viaggio, ______
4. Se vuoi dire la verità, — dilla subito!
5. Se vuoi dire una barzelletta, ______
6. Se vuoi dire la tua opinione, ______

19. Completare (con l'imperativo)

1. Clara, ______________ quella valigia! Quella grande. E ______________ la sedia a sdraio.
2. ______________, Giuseppe, ma non la vedo.
3. (La sedia a sdraio) è lì, dietro il tavolo da campeggio. ______________ qui! Presto! ______________ anche il cestino per il pic-nic!
4. Dove li metto? – ______________ a me. E l'ombrellone? ______________ l'ombrellone!
5. Eccolo! Non ______________!
6. Ho fatto. ______________ i ragazzi! Si parte!
7. ______________ come volete, ma ______________!
8. ______________ bene gli sportelli, ______________ le cinture.

20. Completare (con l'imperativo)

1. Giuseppe, mi raccomando, ____________ piano!
2. Vai troppo veloce per me; quindi, ____________ il piacere, ______________!
3. Meglio arrivare tardi che mai. ____________ attenzione a quella bicicletta!
4. ____________ la freccia! ____________!
5. E allora non ____________!
6. Il centro abitato l'hai superato. ____________ più svelto! ______________! ____________!

il giuoco della pallanuoto

il tuffo

il nuoto

21. Completare (con i pronomi)

1. Clara, passa ________ quella valigia!
2. Ma non ________ vedo.
3. È lì, dietro il tavolo da campeggio. Porta ________ qui!
4. Dove ________ metto?
5. Da ________ a ________. Cerca l'ombrellone!
6. Ecco ________! Non ________ innervosire!
7. Fate come volete, ma muovete ________!
8. Allora portiamo ________!

il negoziante di articoli da spiaggia aspetta i clienti

22. Completare (con i pronomi)

1. Giuseppe, ________ raccomando, va piano!
2. Vai troppo veloce per ________; quindi, fa________ il piacere, rallenta!
3. Fa attenzione a quella bicicletta! – ________ sorpasso!
4. No, non far ________! Non sorpassar________! Qui è pericoloso.
5. Invece ________ sorpasso!
6. Il centro abitato ________'hai superato! Va più svelto!
7. Sbriga________! Corri!

23. Fare una frase con le parole che seguono

1. A Ferragosto molti Italiani ______
2. Possiamo portare ______?
3. Mi raccomando ______
4. Fammi il piacere, ______
5. Fa attenzione ______
6. Non sorpassare quella bicicletta perché ______
7. Non posso suonare perché ______

24. Fare la domanda

1. Cosa fanno molti Italiani in tempo di vacanze? — Si mettono in viaggio.
2. ______? — Si mettono in viaggio con la famiglia.
3. ______? — Si dirigono verso il mare, i laghi, i monti.
4. ______? — Giuseppe chiede alla moglie di aiutarlo.
5. ______? — La signora Clara è vicino al marito.
6. ______? — È preoccupata quando il marito guida.
7. ______? — Le macchine dietro suonano, perché Giuseppe va troppo piano.

15 SINTESI GRAMMATICALE

IMPERATIVO (tu/noi/voi)

PARL–ARE

(tu)		parl**a**	ad alta voce!
		non parl**are**	
(noi)	(non)	parl**iamo**	
(voi)		parl**ate**	

SCRIV–ERE

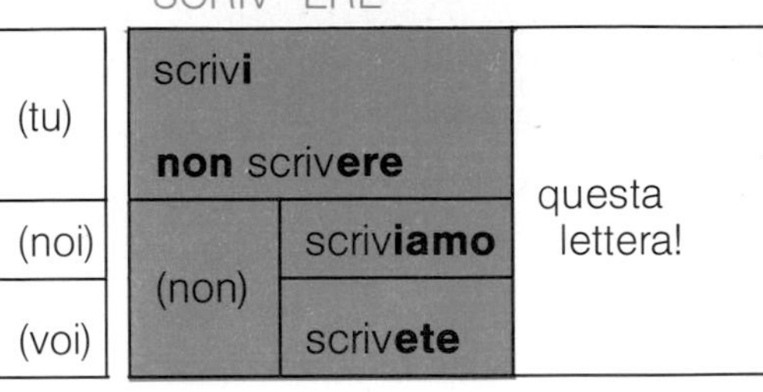

(tu)		scriv**i**	questa lettera!
		non scriv**ere**	
(noi)	(non)	scriv**iamo**	
(voi)		scriv**ete**	

PART–IRE

(tu)		part**i**	domani!
		non part**ire**	
(noi)	(non)	part**iamo**	
(voi)		part**ite**	

FIN–IRE

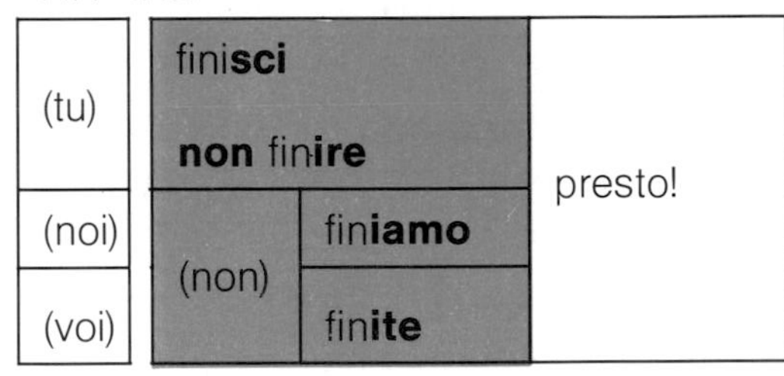

(tu)		fin**isci**	presto!
		non fin**ire**	
(noi)	(non)	fin**iamo**	
(voi)		fin**ite**	

IMPERATIVO e pronomi (e avverbio "ci")

Non sped**ire** questa lettera oggi,		sped**isci**-	-**la**	domani!
Fum**iamo** una sigaretta,		fum**iamo**-		fuori!
Invit**ate** la professoressa, ma		invit**ate**-		per telefono!
Scriv**i** al professore,		scriv**i**-	-**gli**	oggi stesso!
Scriv**iamo** agli amici,		scriv**iamo**-		
Scriv**ete** a papà,		scriv**ete**-		
Mand**ami**	una cartolina,	mand**a**-	-**mela**	appena possibile!
Mand**atemi**		mand**ate**-		

Se	sei stanco, accomod**ati** e ripos**ati**! siamo stanchi, accomod**iamoci** e ripos**iamoci**! siete stanchi, accomod**atevi** e ripos**atevi**!

Se	vuoi	andare al centro,	**vacci** **non** and**arci**		con l'autobus!
	vogliamo		and**iamo**-	-**ci**	
	volete		and**ate**-		

IMPERATIVO - verbi irregolari -

ANDARE

Va (Vai/Va') **Non andare**		a casa!
(Non)	**vada** **andiamo** **andate** **vadano**	

VENIRE

Vieni **Non venire**		a lezione domani!
(Non)	**venga** **veniamo** **venite** **vengano**	

DARE

Dà (Dai/Da') **Non dare**		la precedenza!
(Non)	**dia** **diamo** **date** **diano**	

STARE

Sta (Stai/Sta') **Non stare**		in fila!
(Non)	**stia** **stiamo** **state** **stiano**	

FARE

Fa (Fai/Fa') **Non fare**		silenzio!
(Non)	**faccia** **facciamo** **fate** **facciano**	

DIRE

Di' **Non dire**		la verità!
(Non)	**dica** **diciamo** **dite** **dicano**	

AVERE

Abbi **Non avere**		pazienza con lui!
(Non)	**abbia** **abbiamo** **abbiate** **abbiano**	

ESSERE

Sii **Non essere**		lì prima delle 7!
(Non)	**sia** **siamo** **siate** **siano**	

DARE/DIRE/FARE PRONOMI (particolarità ortografiche)

<table>
<tr><td rowspan="3">**da-**</td><td rowspan="3">**-m-**</td><td colspan="3">**-mi** ...</td></tr>
<tr><td rowspan="2">**-me-**</td><td colspan="2">**-lo**
-la
-li
-le</td></tr>
<tr><td>**-ne**</td><td>uno/a
molti/e</td></tr>
<tr><td rowspan="3">**di-**</td><td rowspan="3">**-c-**</td><td colspan="3">**-ci** ...</td></tr>
<tr><td rowspan="2">**-ce-**</td><td colspan="2">**-lo**
-la
-li
-le</td></tr>
<tr><td>**-ne**</td><td>uno/a
molti/e</td></tr>
<tr><td rowspan="3">**fa-**</td><td>**-l-**</td><td colspan="3">**-lo**
-la
-li
-le</td></tr>
<tr><td>**-n-**</td><td>**-ne**</td><td colspan="2">uno/a
molti/e</td></tr>
<tr><td>**-l-**</td><td colspan="3">**-le ...**</td></tr>
</table>

Dammi un libro, **dammelo** subito!

Dammene almeno uno, per piacere!

Dacci dei soldi, papà! **Dacceli**, ti preghiamo! **Daccene** molti!

Prendi queste sigarette e **dalle** al professore

Se vedi Maria, **dalle** questa borsa!

Dimmi la verità, **dimmela!**
Dilla solo a me!
Dicci come stanno le cose!
Ecco Maria, **dille** tutto!

Fammi un favore, **fammelo** te ne prego, **non dirmi** di no!
Fa gli esercizi, ma **falli** dopo cena!

Attenzione!
Andare e ***stare*** si comportano come ***dare, dire, fare.*** Quando invece sono seguiti dall'infinito, il pronome o i pronomi sono mobili (Es. ***Stammi*** *a sentire* o ***sta'*** *a sentirmi!**Vaglielo*** *a dire* o ***va'*** *a dirglielo*).

ANDARSENE

<table>
<tr><td rowspan="2">Non voglio ripeterlo,</td><td colspan="2">**vattene**!
non andartene!</td></tr>
<tr><td>(non)</td><td>**se ne vada**!
andiamocene!
andatevene!
se ne vadano!</td></tr>
</table>

LESSICO

1. – Rallenta, è una *stradaccia* !
   – È veramente una brutta strada, piena di buche.
2. – È brutto, fuori moda, ti sta stretto. Perché vuoi mettere questo *vestitaccio?*
3. – Cerca l'*ombrellone* ! (L'ombrello grande per il sole)
4 – Prendi anche il *cestino* per il picnic.
5. – Per un bambino *piccolino* come te, ci vogliono *calzine, scarpine, calzoncini, maglioncino* e *cappottino.*
6. – Ho dimenticato di portare il libro.
   – *Non fa niente,* useremo il mio.
7. – Qual è la ragazza che ti piace? Questa *qui* seduta davanti a me?
   – No, mi piace di più quella *lì* vicino alla porta.

— Ha un naso grande e grosso che sembra una patata.
— Sì, ha un *nasone* veramente sproporzionato.

1. — Peccato! Non è piacevole stare sulla *spiaggia* con *questo ventaccio.* Il vento porta *la sabbia* negli occhi.
2. — Sai nuotare?
   — Un pochino. Mi reggo *a galla*.
3. — *Il mare* è *calmo*, oggi; ieri era molto *mosso*, era pericoloso *fare il bagno.*

FUNZIONI	ATTI COMUNICATIVI		
Tollerare, permettere	— Possiamo portare le racchette?	⇨	— Fate pure! — Per me va bene! — Fate come vi pare!
Avvertire, segnalare, mettere in guardia	— Sta attento a quella bicicletta! — Fa' attenzione a quella bicicletta! — Attento! Una bicicletta!		
Chiedere di fare o di non fare	— Per piacere, rallenta! — Ti dispiace rallentare? — Ti dispiacerebbe rallentare? — Non sorpassare quella macchina!		

Dettare il testo che segue

Ferragosto

Tempo di vacanze: molti Italiani si mettono in viaggio con la famiglia e si dirigono verso il mare, i laghi, i monti...

Giuseppe sta caricando i bagagli in macchina e chiede alla moglie di aiutarlo negli ultimi preparativi. A poco a poco ogni cosa trova il suo posto.

La signora Clara è vicino al marito, già abbastanza nervoso, e fa del suo meglio per essere d'aiuto.

I ragazzi, prima di partire, chiedono se possono portare le racchette da tennis.

E finalmente, dopo le raccomandazioni di chiudere bene gli sportelli e di allacciare le cinture, si parte.

Clara è sempre preoccupata quando il marito guida e anche in questa occasione non fa che raccomandare di fare attenzione nel centro abitato, di non superare i ciclisti, di rallentare in curva e di mettere la freccia prima del sorpasso.

Il marito, che conosce bene le paure della moglie, non le dà ascolto.

25. Leggere attentamente il testo che precede e ripetere a libro chiuso

26. Combinare le parti di frase

1. Giuseppe	sta	alla moglie	le paure	della moglie
	chiede	caricando	i bagagli	aiutarlo
	conosce	bene	di	in macchina

2. Clara non fa che raccomandare	di non	superare	prima del sorpasso
	di rallentare	la freccia	i ciclisti
	di mettere	attenzione	abitato
	di fare	nel centro	in curva

27. Che cosa significa

1. Mettersi in viaggio
2. Caricare
3. Fare del proprio meglio
4. Dare ascolto
5. Ferragosto

28. Completare le frasi

1. Molti italiani si mettono in viaggio con la macchina e si dirigono ________
2. Giuseppe sta caricando i bagagli in macchina e chiede alla moglie di ________
3. La signora Clara fa del suo meglio per ________
4. I ragazzi, prima di partire, chiedono se ________
5. E finalmente, dopo le raccomandazioni di ________
6. Clara non fa che raccomandare ________
7. Il marito conosce bene ________

i bambini costruiscono castelli di sabbia

29. Completare liberamente.

1. Quando posso disporre di una vacanza io mi metto in viaggio con ________
2. E mi dirigo verso ________
3. Porto con me ________
4. Mentre guido, se qualcuno mi disturba ________
5. I ragazzi, quando vanno in vacanza, vogliono portare sempre ________

30. Domande personalizzate

1. Come organizza la partenza per le vacanze?
2. Quali cose ritiene di dover sempre portare con sé?
3. Quali oggetti, solitamente, dimentica?
4. Con quali persone preferisce andare in vacanza?

31. Per la composizione scritta

1. Una vacanza a lungo immaginata e desiderata si è risolta in una delusione.
2. Più che una vacanza è stata proprio un'avventura. Racconti!

TRADIZIONI, FESTE E FOLCLORE

Ci sono giorni, nel corso dell'anno, nei quali tutte le attività lavorative si arrestano.

L'Italia dell'industria, l'Italia della politica, l'Italia degli affari, si ferma.

Sono pause che gli Italiani dedicano alla celebrazione e alla rievocazione di particolari momenti della loro storia.

Dal Trentino alla Sicilia si sviluppa, specialmente nella buona stagione (primavera, estate, autunno), tutta una serie di manifestazioni religiose e profane: sfilate in costumi storici, giostre, corse per il palio, competizioni cittadine tra rioni, gruppi folcloristici, corsi mascherati, balli in costume.

In uno sfrenato impeto di musica, di sport, di orgogliosa esibizione del proprio passato, il dovere primo è divertirsi e divertire.

In breve e rapida sintesi ecco una selezione, certamente incompleta e parziale, di alcuni episodi del genere che si svolgono nella Penisola.

Il palio più antico d'Italia. Asti (Piemonte), il 16 settembre i rioni cittadini e quattro comuni della provincia sono in gara per il "drappo" di San Secondo. Al 1275, precisano gli Astigiani, risale il primo documento sulla corsa.

Asti. Il Capitano del Palio.

Asti. Partendo dalla piazza della cattedrale, il Carroccio sfila per le vie della città.

Ed è un palio vero, con cavalli, fantini, corse all'ultimo respiro, imprecazioni, scommesse, sbandieratori e donzelle in abiti trecenteschi.

Siena. Il Palio. Particolare del corteo storico.

Il Palio di Siena

È la più emozionante e celebre gara tra le "contrade". Si corre nella piazza del "Campo" a forma di conchiglia, in cui convergono ben 11 strade della città, due volte all'anno, il 2 luglio e il 16 agosto. Dieci contrade si contendono il "Palio".

La partecipazione alla gara, una corsa di cavalli, lanciati all'impazzata in un percorso pericolosissimo, è corale e appassionata.
La vittoria si celebra con ricche cene all'aperto. A capotavola, al posto d'onore, il cavallo vincitore.

Giostra del Saracino di Arezzo e Giostra della Quintana di Foligno (Perugia)

Sono gare di sapore medievale. Vi partecipano cavalieri armati di lancia che devono colpire, correndo a cavallo, uno scudo portato da un fantoccio mobile.

Gubbio (Perugia). Dopo l'alzata, i ceri effettuano nella piazza tre giri che verranno ripetuti alla sera con la denominazione di "birate".

Foligno (Perugia). Folklore: festa della "Quintana".

I Ceri di Gubbio (Perugia)

Una corsa a piedi in una salita proibitiva, dalla Piazza dei Consoli alla Basilica di Sant'Ubaldo sul Monte Ingino.

Si svolge il 15 maggio di ogni anno con una partecipazione della gente tanto passionale da raggiungere l'esaltazione e il fanatismo.

Assisi (Perugia). Folklore: festa del "Calendimaggio".

La regata storica di Venezia

Si celebra a settembre nello scenario sublime del Canal Grande vestito a festa.
Sono le quattro celebri Repubbliche Marinare: Genova, Pisa, Amalfi e, appunto, Venezia, che gareggiano tra loro.

Venezia. Una gondola sulla laguna.

Da qualche anno, anche il carnevale è diventato un grande affare, e in tutta l'Italia si sono riscoperte tradizioni e attivate iniziative per celebrarlo con divertimento e profitto.

In Piemonte, ad Ivrea, si fa festa per il carnevale. Sulla piazza centrale viene rappresentata una vicenda storica: la rivolta del popolo contro il tiranno, che risale al 1194. Offerta di dolci e vini piemontesi.

Sfilata di carnevale.

In Lombardia, in varie località, in provincia di Mantova, il mercoledì delle ceneri, si celebra una grande "spaghettata" con sfilata di "carri allegorici". In provincia di Brescia: sfilate di gruppi mascherati nei costumi tradizionali.

Nel Veneto, a Venezia, per dieci giorni sono previste varie iniziative che si concludono con l'incredibile ballo generale mascherato in Piazza San Marco.

Ronciglione (Viterbo). Sfilata in maschera di ispirazione disneyana.

Viareggio (Pistoia). Il Carnevale.

Viareggio (Pistoia). Il Carnevale.

Nel Lazio è il carnevale di Ronciglione (Viterbo) che richiama attenzione e curiosità.

In Emilia, in provincia di Modena, si elegge il "Re della briscola" con danze, recitazioni e grandi cene.

In Toscana, a parte l'ormai celebre carnevale di Viareggio, in provincia di Pistoia e di Arezzo si tengono, per l'occasione, singolari manifestazioni.

In Campania e in Puglia, in provincia di Avellino e di Bari, manifestazioni interessanti, tutte legate al carnevale e alle tradizioni popolari locali.

Arezzo. La giostra del Saracino.

Soriano (Viterbo). Sagra delle castagne.

Spello (Perugia). La tradizionale "infiorata".

In Lucania sopravvive una tradizione antichissima che ricorda i riti di primavera e le feste dei lontani abitanti della Basilicata: un uomo travestito da albero bussa alle porte chiedendo offerte.

In Sardegna fino al secolo scorso era diffuso il gioco dell'anello, oggi alcune cittadine (Oristano) celebrano questa giostra con il fasto di un tempo.

Assisi. Festa del "Calendimaggio".

TRADIZIONI, FESTE E FOLCLORE
(DAL VIDEOCORSO)

Ci sono giorni, nel corso dell'anno, nei quali l'Italia dell'industria, l'Italia della politica e l'Italia degli affari si ferma. Sono giorni di festa e di pausa che servono agli italiani per celebrare e ricordare particolari momenti della loro storia. Ne descriviamo, fra tantissimi, solo alcuni.
Il Calendimaggio di Assisi si celebra dal 29 aprile al 1° maggio. Per metà folclore e per metà vero ricordo delle feste del XIII secolo che salutavano la primavera.
A Marostica, cittadina del Veneto in provincia di Vicenza, si gioca la partita di scacchi viventi.
La manifestazione ha luogo negli anni pari, il sabato e la domenica della seconda settimana di settembre.
Il Palio di Siena. È la più emozionante e celebre gara tra le contrade. Si corre sulla splendida Piazza del Campo a forma di conchiglia due volte all'anno: il 2 luglio e il 16 agosto. La partecipazione del pubblico alla gara, una corsa di cavalli lanciati a velocità folle in un percorso pericolosissimo, è corale e appassionata.
La Giostra del Saracino ad Arezzo e della Quintana a Foligno. Sono gare di sapore storico. Vi partecipano cavalieri armati di lancia che devono centrare un anello di piccole dimensioni.
I Ceri di Gubbio. Una corsa a piedi per una strada in salita dalla Piazza dei Consoli alla Basilica di Sant'Ubaldo in cima al monte. Si svolge il 15 maggio di ogni anno con una partecipazione della gente tanto grande da toccare l'esaltazione e il fanatismo.
La regata storica di Venezia. Si celebra a settembre nello scenario sublime del Canal Grande vestito a festa.
Sono le quattro celebri Repubbliche Marinare, Genova, Pisa, Amalfi e naturalmente Venezia in gara tra loro.
Colori, costumi, musica, tradizioni, storia, bellezza. E la sera, fuochi artificiali sulla laguna.

32. Questionario

1. Quali sono le feste tradizionali più celebri in Italia?
2. Quale è il periodo migliore per celebrare tali feste?
3. Come immagina queste feste?
4. Quali stimoli e quali motivazioni sono alla base di queste feste?
5. Ha mai assistito ad una festa popolare? Può descriverla?
6. Momenti di folclore nel Suo Paese.
7. Feste tradizionali nel Suo Paese.
8. Feste religiose nel Suo Paese.

PRONOMI RELATIVI

un acquisto

16

Un signore entra in un negozio di calzature. Trovare un paio di scarpe adatte ai suoi piedi non è cosa facile.

Commesso:
Buon giorno, signore. Desidera?

Signore:
Vorrei un paio di scarpe nere.

Commesso:
Ha già un'idea del modello?

Signore:
Sì, mi piacerebbe quel modello tipo mocassino *che* è in vetrina.

Commesso:
Bene. Ho capito. Quale numero porta?

Signore:
Quarantaquattro e mezzo, pianta larga.

Commesso:
Gliele porto subito. ...Queste sono il quarantaquattro. Provi la destra intanto. Come Le sta?

Signore:
La sento un po' corta.

Commesso:
Provi allora anche questo modello *che* ci è arrivato stamattina.

Signore:
Questa è un po' stretta. In ogni caso preferisco il modello *che* ho provato prima. Non ha un mezzo numero in più?

Commesso:
La Sua non è una misura comune...
Ma ecco il Suo numero.

Signore:
Questa mi va proprio bene.

Commesso:
Adesso metta anche l'altra e provi a camminarci.

Signore:
Sì, sì, vanno bene, sono comode.

Commesso:
Veramente, signore, questa è una scarpa con *la quale* può fare chilometri senza stancarsi. È la scarpa *che* fa per Lei.

Signore:
Mi sembra anche elegante.

Commesso:
Elegantissima. Lei acquista una scarpa *alla quale* non manca niente: è comoda, elegante e anche robusta.

Signore:
Sono convinto; ma quanto costano queste scarpe?

Commesso:
Duecentocinquantamila.

Signore:
Sono un po' care!

Commesso:
Care? Ma lei vuole scherzare!! Ascolti bene ciò *che* Le dico: un signore tedesco, con *cui* scambio qualche parola, ma di *cui* non conosco il nome, ne ha comprate due paia: uno per sé e uno per suo figlio. Scarpe così comode, eleganti, morbide e robuste, a questo prezzo sono regalate...

16 COMPRENDERE

1. Scelta multipla

1. Il signore desidera comprare un paio di	☐ scarpe nere ☐ stivaletti ☐ sandali
2. Gli piace il modello che	☐ è in vetrina ☐ porta il commesso ☐ è più economico
3. Il cliente non porta una misura	☐ comune ☐ eccezionale ☐ piccola
4. Mette le scarpe e prova a	☐ saltare ☐ camminare ☐ ballare
5. Le scarpe gli sembrano abbastanza	☐ alla moda ☐ eleganti ☐ moderne
6. Gli sembrano	☐ care ☐ economiche ☐ a buon mercato
7. Un signore tedesco ne ha comprate due paia: uno per sé e uno per	☐ un suo amico ☐ suo nipote ☐ suo figlio

2. Vero o Falso?

	V	F
1. Il signore entra in un negozio di abbigliamento.	☐	☐
2. Il signore ha un'idea delle scarpe che vuole comprare.	☐	☐
3. Gli piace molto il primo modello che prova.	☐	☐
4. Il signore è sfortunato, perché non si trova il suo numero.	☐	☐
5. La scarpa che il commesso gli consiglia è comoda, elegante e sportiva.	☐	☐
6. Un signore ne ha comprate due paia.	☐	☐
7. Il signore, con cui il commesso scambia qualche parola, è tedesco.	☐	☐

un negozio di abbigliamento

3. Questionario

1. In quale negozio entra il signore?
2. Che cosa desidera?
3. Dove è il modello che desidera?
4. Quale misura porta?
5. Come sono le prime scarpe che prova?
6. Come è la scarpa che gli propone il commesso?
7. Cosa ha fatto un signore tedesco?
8. Il commesso perché lo conosce?
9. Perché le scarpe a quel prezzo sono regalate?

4. Trasformare

1. a) Questa è la scarpa;
   b) la scarpa fa per Lei. — Questa è la scarpa che fa per Lei.
2. a) Questo è il libro;
   b) il libro fa per Lei. ______________
3. a) Queste sono le scarpe;
   b) le scarpe fanno per Lei. ______________
4. a) Questi sono i libri;
   b) i libri fanno per Lei. ______________
5. a) Questa è la macchina;
   b) la macchina fa per Lei. ______________
6. a) Questo è l'appartamento;
   b) l'appartamento fa per Lei. ______________

5. Trasformare

1. a) Mi piace più quel modello;
   b) ho provato prima quel modello. — Mi piace più quel modello che ho provato prima.
2. a) Mi piace più quella macchina;
   b) ho provato prima quella macchina. ______________
3. a) Mi piace più quella ragazza;
   b) ho incontrato prima quella ragazza. ______________
4. a) Mi piacciono più quei cioccolatini;
   b) ho assaggiato prima quei cioccolatini. ______________
5. a) Mi piacciono più quei dischi;
   b) ho ascoltato prima quei dischi. ______________
6. a) Mi piacciono più quelle sedie;
   b) ho visto prima quelle sedie. ______________

6. Rispondere

1. Quale signorina cerchi?
   (è entrata poco fa) 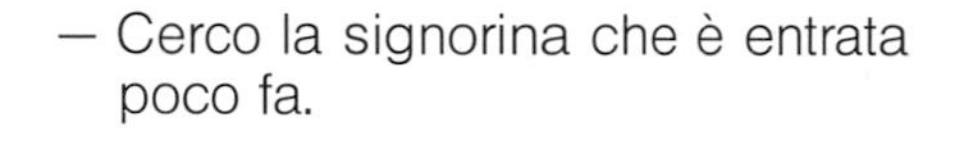
   – Cerco la signorina che è entrata poco fa.
2. Quale abito vuoi? *(è sulla sedia)* ______________________
3. Quale cravatta metti?
   (ho comprato ieri) ______________________
4. Quale camicia preferisci?
   (mi hai regalato tu) ______________________
5. Quale liquore vuoi?
   (mi hai offerto la volta scorsa) ______________________
6. Quale quadro ti piace di più?
   (è in alto a sinistra) ______________________

la cassiera

7. Rispondere

1. A quali signori hai parlato?
   (ho conosciuto ieri) – Ai signori che ho conosciuto ieri.
2. Con quali studenti hai discusso?
   (sono arrivati ieri) – Con gli studenti che sono arrivati ieri.
3. Da quali riviste hai preso queste notizie? *(mi hai portato tu)* ______________________
4. A quali ragazze hai telefonato?
   (mi hai presentato tu) ______________________
5. Di quali libri avete parlato?
   (ha scritto mio padre) ______________________
6. Per quali motivi non sei venuto?
   (ben conosci) ______________________

8. Trasformare

1. a) Lei acquista una scarpa;
   b) non manca niente *alla scarpa.* — Lei acquista una scarpa alla quale non manca niente
2. a) Lei compra una macchina;
   b) non manca niente *alla macchina.* ______________________
3. a) Lei prende una casa;
   b) non manca niente *alla casa.* ______________________
4. a) Lei acquista un appartamento;
   b) non manca niente *all'appartamento.* — Lei acquista un appartamento al quale non manca niente
5. a) Lei compra un televisore;
   b) non manca niente *al televisore.* ______________________
6. a) Lei prende un apparecchio;
   b) non manca niente *all'apparecchio.* ______________________

la vetrina di una boutique

9. Rispondere

1. Chi è quella ragazza? *(ho telefonato)* — È la ragazza a cui ho telefonato.
2. Chi è quel ragazzo? *(ho scritto)* ____________
3. Chi è quel signore? *(ho mandato l'invito)* ____________
4. Chi sono quelle signorine? *(ho consegnato i libri)* — Sono le signorine a cui ho consegnato i libri.
5. Chi sono quelle studentesse? *(ho indicato la strada per la stazione)* ____________
6. Chi sono quegli studenti? *(ho chiesto un'informazione)* ____________

10. Rispondere

1. Chi è quella ragazza? *(ho mandato le rose)* — È la ragazza alla quale ho mandato le rose.
2. Chi è quella bambina? *(ho regalato la bambola)* ____________
3. Chi è quella signora? *(ho consegnato la lettera)* ____________
4. Chi sono quelle ragazze? *(ho indicato la strada)* — Sono le ragazze alle quali ho indicato la strada.
5. Chi sono quelle signore? *(ho fatto gli auguri di Natale)* ____________
6. Chi sono quelle bambine? *(ho regalato le caramelle)* ____________

11. Replicare

1. Interessante quell'uomo! *(parlavo prima)* — Chi? L'uomo con cui parlavo prima?
2. Simpatico quel ragazzo! *(ho ballato prima)* ____________
3. Elegante quel professore! *(parlavo prima)* ____________
4. Interessante quell'uomo! *(parlavo prima)* — Chi? L'uomo con il quale parlavo prima?
5. Simpatico quel ragazzo! *(ho ballato prima)* ____________
6. Elegante quel professore! *(passeggiavo prima)* ____________

12. Trasformare

1. a) Questa è una macchina;
   b) non puoi fare a meno *di questa macchina.*
   — Questa è una macchina di cui non puoi fare a meno.
2. a) Questo è un libro;
   b) non puoi fare a meno *di questo libro.*
   ______
3. a) Questo è un oggetto;
   b) non puoi fare a meno *di questo oggetto.*
   ______
4. a) Queste sono regole;
   b) non puoi fare a meno *di queste regole.*
   ______
5. a) Questi sono oggetti;
   b) non puoi fare a meno *di questi oggetti.*
   ______
6. a) Questi sono apparecchi;
   b) non puoi fare a meno *di questi apparecchi.*
   ______

13. Trasformare

1. L'argomento, di cui mi interesso, è attuale.
   — L'argomento, del quale mi interesso, è attuale.
2. Il problema, di cui dobbiamo preoccuparci, è la violenza.
   ______
3. Lo sport, di cui molti si intendono, è il calcio.
   ______
4. I signori, di cui parliamo, sono stranieri.
   — I signori, dei quali parliamo, sono stranieri.
5. I temi, di cui abbiamo discusso, sono complessi.
   ______
6. Gli studenti, di cui mi chiedi l'indirizzo, sono già partiti.
   ______

il manichino

14. Trasformare

1. Sono andato *da una signorina;* la signorina si chiama Maria — La signorina, da cui sono andato, si chiama Maria.
2. Vengo *da una grande città*; la città è New York. ______________________
3. Abito *da alcuni amici*; gli amici sono italiani. ______________________
4. Dipendo *da una grande ditta;* la ditta è la Fiat. ______________________
5. I passeggeri scendono *da un aereo;* l'aereo è un Jumbo 747. ______________________
6. Ho appreso questa notizia *da un giornale;* il giornale è la Repubblica. ______________________

15. Trasformare

1. La casa, in cui abito, è nuova. — La casa dove abito è nuova.
2. La stanza, in cui studio, è fredda. ______________________
3. L'ufficio, in cui lavoravo, era all'ultimo piano. ______________________
4. Il tavolo, su cui ho posato i guanti, è nell'altra stanza. ______________________
5. La sedia, su cui ti sei seduto, è rotta. ______________________
6. Il terreno, su cui ho costruito la casa, è in collina. ______________________

16. Trasformare

1. Chi vuole fare l'esame, deve presentare la domanda. — Coloro che vogliono fare l'esame devono presentare la domanda.
2. Chi preferisce andare in discoteca, deve alzare la mano. ______
3. Chi deve partire, può già prenotare il posto in aereo. ______
4. Chi ha bisogno di cambiare un assegno, deve recarsi in banca. ______
5. Chi è stanco, può prendere qualche minuto di riposo. ______
6. Chi non vuole rimanere, può andarsene. ______

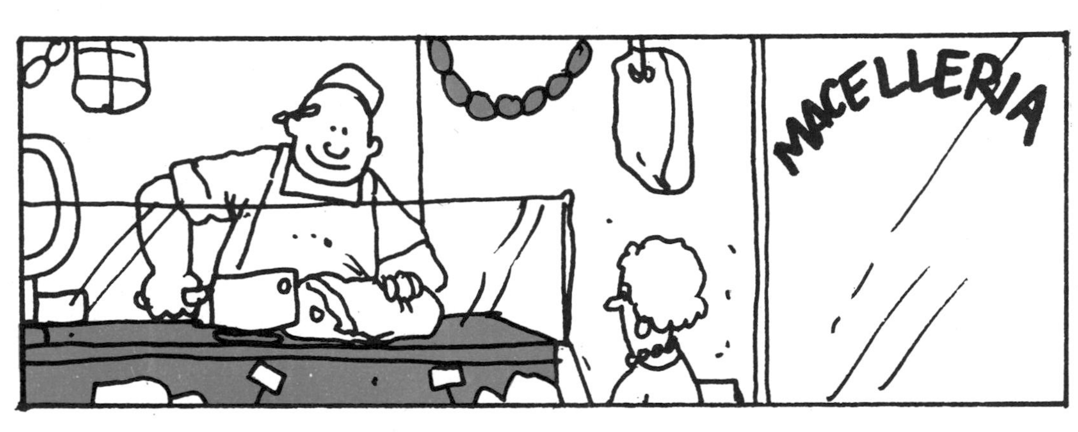

il macellaio

17. Trasformare

1. Quello che dici, è del tutto inesatto. — Ciò che dici è del tutto inesatto.
2. Quello che mi racconti, è veramente incredibile. ______
3. Quello che hai fatto, non è per niente corretto. ______
4. Quello che sostieni, sembra incredibile. ______
5. Quello che ho sentito, mi ha molto sorpreso. ______
6. Quello che ho visto, non lo dimenticherò di certo. ______

18. Completare (con i relativi)

1. Ha già un'idea del modello? – Sì, mi piacerebbe quel modello tipo mocassino ________ è in vetrina.
2. Provi anche questo modello ________ ci è arrivato stamattina.
3. Questa è un po' stretta. In ogni caso preferisco il modello ________ ho provato prima.
4. Veramente, signore, questa è una scarpa con la ________ può fare chilometri senza stancarsi.
5. È la scarpa ________ fa per Lei.
6. Elegantissima. Lei acquista una scarpa alla ________ non manca niente: è comoda, elegante e anche robusta.
7. Ascolti bene ciò ________ Le dico: un signore tedesco, con ________ scambio qualche parola, ma di ________ non conosco il nome, ne ha comprate due paia.

19. Completare (con i pronomi)

1. Sì, ________ piacerebbe quel modello tipo mocassino ________ è in vetrina.
2. ________ porto subito... Queste sono il quarantaquattro. Provi la destra intanto. Come ________ sta?
3. ________ sento un po' corta.
4. Provi allora anche questo modello ________ ________ è arrivato stamattina.
5. Questa è un po' stretta. In ogni caso preferisco il modello ________ ho provato prima.
6. Questa ________ va proprio bene.
7. Adesso metta anche l'altra e provi a camminar____.

20. Completare (con i pronomi)

1. Veramente, signore, questa è una scarpa con ________ ________ può fare chilometri senza stancar____.
2. È la scarpa ________ fa per ________.
3. ________ sembra anche elegante.
4. Elegantissima. ________ acquista una scarpa ________ ________ non manca niente.
5. Care? Ma ________ vuole scherzare!! Ascolti bene ciò ____ ____ dico.

6. Un signore tedesco, con __________ scambio qualche parola, ma di ______ non conosco il nome, __________ ha comprate due paia; __________ per __________ e __________ per suo figlio.

21. Completare (con le preposizioni)

1. Un signore entra ________ un negozio ________ calzature. Trovare un paio ________ scarpe adatte ________ suoi piedi non è cosa facile.
2. Vorrei un paio ________ scarpe nere.
3. Ha già un'idea ________ modello?
4. Sì, mi piacerebbe quel modello tipo mocassino che è ________ vetrina.
5. Questa è un po' stretta. ________ ogni caso preferisco il modello che ho provato prima. Non ha un mezzo numero __________ più?
6. Adesso metta anche l'altra e provi __________ camminarci.
7. Veramente, signore, questa è una scarpa __________ la quale può fare chilometri senza stancarsi.
8. È la scarpa che fa __________ Lei.
9. Lei acquista una scarpa __________ quale non manca niente.
10. Un signore tedesco, __________ cui scambio qualche parola, ma __________ cui non conosco il nome, ne ha comprate due paia: uno __________ sé e uno __________ suo figlio.

22. Completare (con la punteggiatura)

1. Buon giorno signore Desidera
2. Vorrei un paio di scarpe nere
3. Ha già un'idea del modello
4. Sì mi piacerebbe quel modello tipo mocassino che è in vetrina
5. Bene Ho capito Quale numero porta
6. Quarantaquattro e mezzo pianta larga
7. La Sua non è una misura comune Ma ecco il Suo numero
8. Sì sì vanno bene sono comode
9. Veramente signore questa è una scarpa con la quale può fare chilometri senza stancarsi
10. Sono convinto ma quanto costano queste scarpe
11. Sono un po' care
12. Care Ma Lei vuole scherzare Ascolti bene ciò che Le dico

il negozio di alimentari

23. Riordinare le parole

1. entra - negozio - signore - in - di - Un - un - calzature.
2. paio - suoi - è - un - di - scarpe - ai - non - facile. - Trovare - adatte - piedi,- cosa
3. paio - nere. - un - scarpe - di - Vorrei

24. Combinare domanda e risposta

1. Desidera?	– Quarantaquattro e mezzo.
2. Ha già un'idea del modello?	– La sento un po' corta.
3. Quale numero porta?	– Ecco il Suo numero.
4. Come Le sta?	– Duecentocinquantamila lire.
5. Non ha mezzo numero in più?	– Vorrei un paio di scarpe nere.
6. Quanto costano queste scarpe?	– Sì, mi piacerebbe quel modello tipo mocassino che è in vetrina.

25. Fare la domanda

1. Perché il signore entra in un negozio?	– Per comprare un paio di scarpe.
2. ____________________ ?	– Sono in vetrina.
3. ____________________ ?	– Porta il quarantaquattro e mezzo.
4. ____________________ ?	– Gli sta un po' corta.
5. ____________________ ?	– Gli vanno bene.
6. ____________________ ?	– Duecentocinquantamila lire.

PRONOMI RELATIVI

CHE =	il la	quale
	i le	quali

Non conosco i signori	che	abitano vicino a casa tua
La ragazza,		mi hai presentato ieri, è molto bella
Le sigarette		fumi sono molto forti
Mio figlio,		è nato nel 1973, si chiama Lorenzo
Le scarpe,		ho comprato ieri, costano un occhio della testa
Portami i documenti		sono sul tavolo dello studio
Alla festa ci sarà anche Gaia		è la figlia del professore

Accanto a me era seduto un signore	che il quale	parlava da solo
Al concerto ho conosciuto la figlia del professore	che la quale	partirà presto per gli Stati Uniti
Portami i documenti	che i quali	sono sul tavolo dello studio
Mi piacciono le commedie di Eduardo	che le quali	sono note in tutto il mondo

CUI =	il la	quale
	i le	quali

Non conosco il signore	a	cui	hai prestato la bici
Non conosco la signora	con		stavi parlando ieri al bar
La cosa	di		stai parlando, non m'interessa
La città	in		mi trovo attualmente, è piccola
Il prezzo di questo articolo è un elemento	su		non si può discutere
Ti dirò subito i motivi	per		sono venuto a trovarti
Le persone	tra		vivo non sanno una parola d'inglese
Ecco gli amici	da		sono andata a cena ieri

Non conosco il signore	**al**	quale	hai prestato la bici
Non conosco la signora	con **la**		stavi parlando ieri al bar
La cosa	**della**		stai parlando, non m'interessa
La città	**nella**		mi trovo attualmente, è piccola
Il prezzo di questo articolo è un elemento	**sul**		non si può discutere
Ti dirò subito i motivi	per **i**	quali	sono venuto a trovarti
Le persone	fra **le**		vivo non sanno una parola d'inglese
Ecco gli amici	**dai**		sono andata a cena ieri

Attenzione!
Cui, preceduto dall'articolo definito, ha valore di complemento di specificazione e significa ***del quale/della quale/dei quali/delle quali.***
Es.: *Quel signore, il **cui** figlio (il figlio **del quale**) studia in America, è mio zio.*
*Mia moglie, la **cui** macchina (la macchina **della quale**) è nuova, guida bene.*

CHI =	colui colei coloro le persone	che

Chi	dice questo, sbaglia tace, acconsente cerca, trova trova un amico, trova un tesoro arriverà a lezione in ritardo, troverà la porta chiusa

Non devi regalare niente a **chi** non lo merita
Non puoi fidarti di **chi** non conosci bene
Per quel problema, vai da **chi** ti ho detto

Chi	dice	questo	sbaglia	di grosso
Colui che				
Colei che				
Coloro che	dicono		sbagliano	
Le persone che				

Non puoi fidarti	di	**chi** **colui che** **colei che** **coloro che**	non conosci bene
	delle	**persone che**	

CIÒ CHE = QUELLO CHE = QUANTO

Dovrà raccontare tutto	ciò **che** quello **che** quanto	ha visto
Non capisco		racconti
È bello		hai fatto
Ti ringrazio di		farai per me
Non fare caso a		ha detto
Faccio		mi piace
È tutto		sa fare
È difficile vivere con		guadagno
Devi riflettere su		stai per fare

LESSICO

1. – Vorrei un paio di scarpe nere.
   – *Ha* già *un'idea* del modello?
2. – Dove vuoi andare in vacanza?
   – Mah, *non ho* ancora *un'idea* precisa.
3. – Questa è un po' stretta. *In ogni caso* mi piace più il modello che ho provato prima.
4. – Arriverai domani o dopodomani?
   – Non lo so; ma *in ogni caso* ti telefonerò subito.
5. – Questa, signore, è la scarpa che *fa per* Lei.
6. – Doppi servizi, garage, cantina, giardino e a questo prezzo; dove la troviamo un'altra casa come questa? Questa è la casa che *fa per* noi.
7. – *Mi dia retta* signore, Lei acquista una scarpa alla quale non manca niente.
8. – È ubbidiente questo cane?
   – Macché; lo chiamo, lo chiamo, e lui non mi ascolta; è un cane che non *dà* mai *retta*.

1. — Vorrei comprare *una giacca sportiva*.
   — C'è qui vicino *un negozio di abbigliamento*.
2. — *Questo modello* mi piace, ma ci sono altri *colori*?
3. — *I pantaloni* sono un po' lunghi, ma si possono *accorciare*.
4. — Questo è *il prezzo* scritto sul *cartellino*, ma me lo fa *uno sconto*?

FUNZIONI	ATTI COMUNICATIVI	
Preferenza	— Preferisco — Preferirei — Mi piace più	il modello che ho provato prima.
Accordo	— Mi sembra anche abbastanza elegante.	— Sono d'accordo con Lei, signore. — Pienamente d'accordo! — Certo, è così. — Ne sono pienamente convinto.
Disaccordo		— Non sono d'accordo con Lei, signore. — Per me non è così. — Non ne sono convinto.

Dettare il testo che segue

Un acquisto

Un signore entra in un negozio per comperare un paio di scarpe. Trovare il numero e il modello adatto per i suoi piedi non è impresa facile.

In vetrina ne ha visto un paio che gli piacciono: le indica al commesso al quale precisa il numero e il colore ... Quarantaquattro e mezzo, pianta larga, colore nero tipo mocassino.

È fortunato, in magazzino c'è proprio un quarantaquattro e mezzo. Il signore si mette tutte e due le scarpe, fa qualche passo e le trova comode ed eleganti.

Ma ciò che sorprende il cliente e di cui non è soddisfatto è il prezzo: duecentocinquantamila lire, che il commesso chiede, gli sembrano eccessive.

Già, però, l'eleganza e la robustezza di queste scarpe sono elementi su cui non si può discutere e che giustificano tale prezzo ...

26. Leggere attentamente il testo che precede e ripetere a libro chiuso

27. Cosa significa

1. Ha già un'idea del modello
2. La sento un po' corta
3. Questa fa per Lei
4. Mi dia retta
5. Sono convinto
6. Lei vuole scherzare
7. Senza battere ciglio

28. Completare liberamente le frasi

1. Un signore entra in ______
2. Indica al commesso ______
3. È fortunato ______
4. Con le scarpe che ha scelto ______
5. Ma ciò che sorprende il cliente è ______
6. L'eleganza e la robustezza delle scarpe italiane sono elementi su cui ______

il mercato

29. Domande personalizzate

1. Quale numero di scarpe porta?
2. Quale modello di scarpe Le stanno meglio?
3. Nel comprare un paio di scarpe quali requisiti Lei ritiene importanti?
4. Quali tipi di scarpe conosce? (da sera, da calcio, da tennis, ecc.)

30. Per la composizione scritta

1. Le scarpe italiane, nonché la moda in generale, sono apprezzate all'estero. Lei ne ha avuta qualche conferma?

ESERCIZI DI REIMPIEGO E CONTROLLO AP.30

MADE IN ITALY

Una figura sottile che si innalza leggera e lieve, dai tacchi lungo la linea elegante della gonna o dei pantaloni e su fino al punto di vita, per aprirsi come un

La moda maschile.

La moda femminile.

fiore definitivamente nella bellezza delle spalle e del "décolleté".

Questo è moda, questo è femminilità. Una moda che esprime e sottolinea, con grande classe e fantasia, l'immagine di una vera signora, dinamica, figlia del suo tempo, che guarda al futuro e che dimostra personalità e grande sicurezza di sé. Questo è l'estro della moda italiana.

Da tempo ormai la moda italiana è "di gran moda" in Italia e nel mondo. E non è già fenomeno leggero e vuoto. Anzi, oggi la moda è specchio del costume, dell'atteggiamento psicologico dell'individuo, della professione e del gusto.

Bozzetto di un modello.

Valentino. Una grande firma della moda.

La moda è un fatto culturale intorno al quale ruotano innumerevoli attività, si pubblicano libri, si aprono musei e mostre, si muovono grandi masse di denaro, si coinvolgono Stati e si istituiscono centri di studio a livello universitario.

Il "Made in Italy" o se preferite l'"Italian style" o l'"Italian look", ha conquistato il mondo.

Il fenomeno è di tale e tanta portata che a Firenze nasce l'Università Internazionale della Moda. Si chiama "Politecnico" e costituisce un punto di riferimento per tutti quanti operano nel settore, nelle varie specializzazioni, dalla produzione dei tessuti al designer.

Sono chiamati a tenere cicli di lezioni i maestri della alta moda quali Lancetti, Valentino, Balestra, Capucci, ecc. e maestri del prêt-à-porter quali Armani, Versace, Coveri, Ferrè, ecc.

Collezione Lancetti. Alta moda autunno/inverno.

Ceramiche da bagno disegnate e firmate da stilisti italiani.

Si potrebbe continuare a lungo con il "Made in Italy" parlando della lavorazione del vetro, della maiolica, del marmo e così via.

Sarebbe troppo lungo. Ma a proposito dell'oro, l'affascinante metallo giallo, vale la pena di spendere qualche parola.

Pochi lo stanno, ma l'Italia è il massimo produttore mondiale di oro lavorato. Un terzo delle circa 600 tonnellate d'oro utilizzato per l'oreficieria, viene normalmente trasformato proprio in Italia.

Questo fiume d'oro prende le strade di Valenza Po, di Vicenza, di Arezzo, di

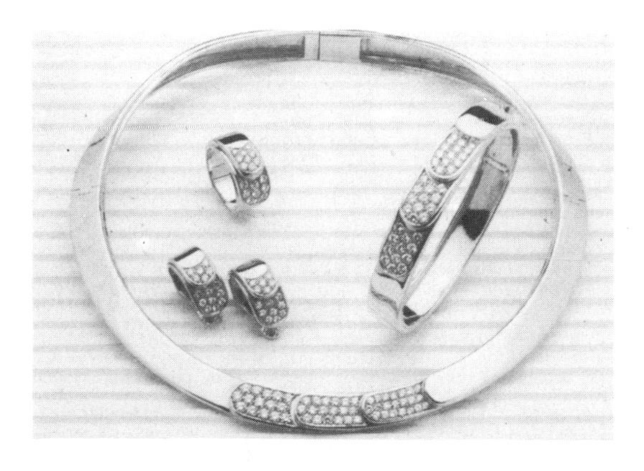

Parure d'oro giallo e brillanti.

Alcuni pezzi di bigiotteria disegnati e firmati da stilisti italiani.

Milano e non è destinato al mercato italiano soltanto.
I due terzi sono destinati all'estero con un export di migliaia di miliardi di lire.

IL MADE IN ITALY (DAL VIDEOCORSO)

Roma, Trinità dei Monti. Sfilata notturna di moda.
Firenze: la moda italiana non è solo un fatto economico, è un fenomeno culturale.
Ed ecco il Politecnico, l'Università Internazionale della Moda.
Vi sono chiamati a tenere cicli di lezioni i maestri dell'alta moda, quali Balestra, Capucci, Lancetti, Valentino ed altri, e maestri del prêt-à-porter, quali Armani, Coveri, Ferrè, Versace.
Gli studenti della scuola cuciono e disegnano.
Ecco la moda di Valentino... di Ferrè... di Lancetti.
La moda per uomo di Valentino.
E tanti modelli pronti dietro le quinte.
Bigiotteria e gioielli di alta moda.
Pochi lo sanno, ma l'Italia è il massimo produttore mondiale di oro lavorato: circa 170 tonnellate d'oro vengono lavorate ogni anno in Italia.
L'arredamento: cioè fantasia e creatività.
Arte applicata ad oggetti di uso quotidiano: piatti, bicchieri, posate, sedie, lumi, cucine, salotti e soggiorni, sempre al centro dell'attenzione di progettisti, architetti, designers.
Tutto questo per fare la casa, l'ufficio, la propria poltrona, il luogo di lavoro più personalizzati, più confortevoli ed esteticamente più apprezzabili.

L'estro, la fantasia, la creatività, il rispetto della tradizione e le trovate originali si fondono nella realizzazione di tutto quanto concerne l'arredamento. Si può liberamente scegliere dal mobile, che profuma di buon legno, fatto tutto a mano e ispirato a modelli tradizionali che parlano di un'antica civiltà artigiana, a mobili tutti proiettati nel futuro, quanto ai materiali utilizzati, alle soluzioni originali e alla assoluta funzionalità.

Eleganza e comfort nell'arredamento del salotto.

La cucina, la sala da pranzo, il salotto e soggiorno, la camera dei bambini, il bagno sono oggi il centro di attenzione di progettisti, architetti, arredatori, designer. Tutto per rendere la casa, l'ufficio, l'automobile, la propria poltrona, il luogo di lavoro più personalizzati, più a misura d'uomo, più comodi e più godibili.

Eleganza e comfort in cucina.

Studio, progettazione, taglio e realizzazione di un modello.

31. Questionario

1. Quale è la finalità della moda?
2. Quali sono le caratteristiche della moda italiana?
3. Sa Lei quali sono le città italiane più attive sul campo della moda?
4. La moda riguarda soltanto il modo di vestire; e riguarda solamente le donne?
5. Conosce qualche nome di primo piano di creatori di moda italiani?
6. Ha mai visitato un negozio di mobili in Italia? Ha trovato delle differenze di stile e di materiali, rispetto al Suo Paese?
7. Che cosa si vuole da un arredamento oggi? Si preferisce l'originalità o la praticità, l'eleganza o la robustezza, il prezzo o la qualità?
8. Conosce qualche notizia sulla lavorazione del vetro, sulla lavorazione del marmo, dei tessuti, delle maioliche, dei pellami?
9. Quale è il Suo rapporto con i gioielli e quali preferisce nel riceverli e nel regalarli?

CONGIUNTIVO: PRESENTE E PASSATO

il cucciolo

17

La famiglia è andata a fare un picnic. Dopo la merenda sull'erba, i bambini, Giuseppino e Pierino, giocando nel bosco vicino, trovano un cucciolo.

Pierino:
Giuseppino, guarda!! Che animale sarà?

Giuseppino:
È un gatto.

Pierino:
Un gatto così grande e con un muso così aguzzo? No. *Penso che sia* un cucciolo di cane.

Giuseppino:
Un cane con questa coda? No, non è un cane.

Pierino:
È probabile che sia un lupacchiotto.

Giuseppino:
Come cammina male! Forse ha una zampa rotta.

Pierino:
No. *È possibile*, invece, *che* non *sappia* ancora camminare. Prendiamolo e portiamolo con noi; il papà saprà che animale è.

... (poco dopo)

Papà:
Ve lo dico io che animale è. È un volpacchiotto.

Pierino.
Senti che voce strana! Si lamenta? Piange?

Mamma:
È facile che abbia fame o *che chiami* la mamma.

Giuseppino:
Ma come mai era lì da solo?

Mamma:
Penso che si sia allontanato dalla sua tana un po' troppo e poi non *abbia* più *trovato* la strada di casa.

Pierino:
O *può darsi che* un cacciatore *abbia ucciso* la madre e *abbia catturato* i figli; poi per la strada *abbia perduto* un cucciolo. Io propongo di portarlo con noi.

Giuseppino:
Sì, avremo per lui tutte le cure.

Mamma:
Calma! Ragazzi, calma! *Voglio che comprendiate* bene la situazione. Se noi portiamo a casa questo cucciolo, *temo che muoia*

Pierino:
Ma anche se lo lasciamo qui, forse morirà!

Papà:
Anche questo è giusto. Allora faremo così: oggi lo portiamo a casa, gli diamo del latte. Domani, però, *bisogna che* lo *portiamo* allo zoo.

17 COMPRENDERE

1. Scelta multipla

1. La famiglia è andata a
   - ☐ fare un picnic
   - ☐ raccogliere le castagne
   - ☐ cercare funghi

2. I bambini hanno trovato
   - ☐ un nido
   - ☐ un cucciolo
   - ☐ una tana

3. Giuseppino pensa che sia
   - ☐ un cane
   - ☐ una volpe
   - ☐ un gatto

4. Secondo Giuseppino il cucciolo cammina male perché
   - ☐ è stanco
   - ☐ ha una zampa rotta
   - ☐ è piccolo

5. Il papà dice che è un
   - ☐ orsacchiotto
   - ☐ lupacchiotto
   - ☐ volpacchiotto

6. I bambini vorrebbero
   - ☐ abbandonare il cucciolo
   - ☐ portare a casa il cucciolo
   - ☐ portare da un veterinario il cucciolo

7. La mamma non è d'accordo perché teme che il cucciolo
   - ☐ muoia
   - ☐ rovini la casa
   - ☐ crescendo diventi pericoloso per i bambini

8. Il papà decide di portare il cucciolo
   - ☐ in clinica
   - ☐ dal guardiacaccia
   - ☐ allo zoo

il pesciolino rosso nel vaso di vetro

il gatto di casa

il fedele cane

l'uccellino in gabbia

2. Vero o Falso?

	V	F
1. Il cucciolo ha un muso aguzzo.	☐	☐
2. Il cucciolo ha la coda troppo lunga.	☐	☐
3. Il cucciolo forse ha una zampa rotta.	☐	☐
4. Il papà sa che animale è.	☐	☐
5. Il cucciolo si lamenta e piange.	☐	☐
6. Pierino dice che il cucciolo è brutto.	☐	☐
7. Il papà dice di portare subito il cucciolo allo zoo.	☐	☐

gli animali da cortile: le galline, l'oca, il gallo, i piccioni il tacchino e l'anatra

3. Questionario

1. Dove è andata la famiglia?
2. Che cosa hanno trovato i bambini?
3. Quale animale pensano che sia?
4. Che animale è?
5. Il cucciolo trema e piange. Cosa pensa la mamma?
6. Perché il cucciolo si trova da solo? Che cosa pensa la mamma?
7. I ragazzi dove vorrebbero portare il cucciolo?
8. Perché la mamma non è d'accordo?
9. Cosa decide il papà?

4. Rispondere

1. Dove è Pierino? *(a casa)* — Penso che sia a casa.
2. Dove è Giuseppino? *(al bar)* ____________
3. Dove è la mamma? *(in cucina)* ____________
4. Dove è il papà? *(nello studio)* ____________
5. Dove sono i bambini? *(in giardino)* — Credo che siano in giardino.
6. Dove sono gli ospiti? *(in salotto)* ____________
7. Dove sono le chiavi? *(sul tavolo)* ____________
8. Dove sono le sigarette? *(nel cassetto)* ____________

5. Rispondere

1. Ha fame? — Sì, suppongo che abbia fame.
2. Ha sonno? ____________
3. Ha freddo? ____________
4. Ha sete? ____________
5. Hanno soldi? — Sì, credo che abbiano soldi.
6. Hanno amici? ____________
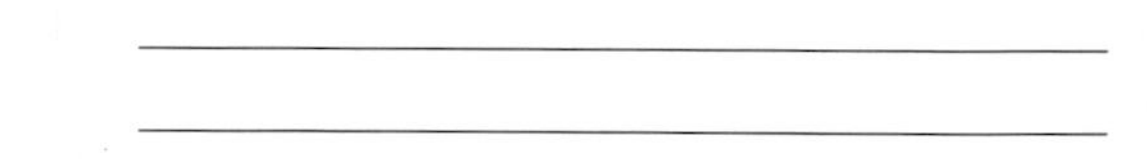
7. Hanno problemi? ____________
8. Hanno preoccupazioni? ____________

gli animali del bosco: la lepre, il fagiano, la serpe, il cacciatore, il cinghiale

6. Rispondere

1. Che cosa fa ora Giuseppe, studia? — Sì, penso che studi.
2. Che cosa fa ora Maria, cucina? ____________
3. Che cosa fa ora Lisa, guarda la TV? ____________
4. Che cosa fa ora il papà, lavora? ____________
5. Che cosa fanno ora i ragazzi, studiano? — Sì, penso che studino.
6. Che cosa fanno ora le zie, cucinano? ____________
7. Che cosa fanno ora i nonni, guardano la TV? ____________
8. Che cosa fanno ora i tuoi genitori, pranzano? ____________

7. Rispondere

1. Forse il cucciolo piange? — Sì, credo proprio che pianga.
2. Forse il papà scrive allo zio? ____________
3. Forse il nonno legge il suo libro? ____________
4. Forse la zia vende la sua casa? ____________
5. Forse i cuccioli piangono? — Sì, credo proprio che piangano.
6. Forse i bambini scrivono allo zio? ____________
7. Forse i ragazzi leggono i loro giornaletti? ____________
8. Forse gli zii vendono la loro casa? ____________

8. Rispondere

1. Devo partire domani? — Sì, voglio che tu parta domani.
2. Devo proseguire? ____________
3. Devo fuggire? ____________
4. Devo dormire qui? ____________
5. Dobbiamo partire domani? — Sì, voglio che partiate domani.
6. Dobbiamo venire? ____________
7. Dobbiamo uscire? ____________
8. Dobbiamo dormire qui? ____________

9. Rispondere

1. Capisce questa lingua? — No, non credo che lui capisca questa lingua.
2. Finisce oggi questo lavoro? ______________________
3. Preferisce rimanere? ______________________
4. Pulisce da sola l'appartamento? ______________________
5. Capiscono questa lingua? — No, non credo che capiscano questa lingua.
6. Finiscono oggi questo lavoro? ______________________
7. Preferiscono rimanere? ______________________
8. Puliscono da sole l'appartamento? ______________________

10. Trasformare

1. È necessario che tu faccia attenzione. — Bisogna che tu faccia attenzione.
2. È necessario che tu rimanga. ______________________
3. È necessario che tu dica la verità. ______________________
4. È necessario che tu stia a casa. ______________________
5. È necessario che tu mi dia l'indirizzo. — Occorre che tu mi dia l'indirizzo.
6. È necessario che tu esca un po'. ______________________
7. È necessario che tu venga da me. ______________________
8. È necessario che tu vada dal dottore. ______________________

11. Replicare

1. Vorrei completare gli studi. — Giusto, è bene che tu completi gli studi.
2. Vorrei trovare un buon lavoro. ______________________
3. Vorrei superare tutti gli esami. ______________________
4. Vorrei comprare una casa più grande. ______________________
5. Vorremmo sapere la verità. — Perché no, è meglio che sappiate la verità.
6. Vorremmo restare ancora un po'. ______________________
7. Vorremmo riposare oggi. ______________________
8. Vorremmo andare via. ______________________

12. Replicare

1. Non vuole venire da noi. — Infatti, non è necessario che venga da noi.
2. Non vuole rimanere con noi. ______
3. Non vuole partire oggi. ______
4. Non vuole decidere subito. ______
5. Non vogliono fare in fretta. — Infatti, non è necessario che facciano in fretta.
6. Non vogliono rimanere con noi. ______
7. Non vogliono partire oggi. ______
8. Non vogliono decidere subito. ______

13. Rispondere

1. È già arrivata Maria? — Temo che non sia ancora arrivata.
2. È già partita Giovanna? ______
3. È già uscita Veronica? ______
4. È già rientrata Susanna? ______
5. Sono già arrivate a casa le signorine? — È probabile che siano già arrivate.
6. Sono già partite le signorine? ______
7. Sono già uscite le signorine? ______
8. Sono già rientrate le signorine? ______

14. Rispondere

1. Pino ha già finito quel lavoro? — Non so, spero che l'abbia già finito.
2. Mario ha già mandato il telegramma? ______
3. Il papà ha già deciso il periodo delle vacanze? ______
4. La mamma ha già preparato il dolce? ______
5. Lisa ha già prenotato l'albergo? ______
6. Bruna ha già chiamato il medico? ______

15. Replicare

1. È andata via. — È (un) peccato che sia andata via.
2. Si è dimenticata di tutto. ______________________
3. Si è offesa. ______________________
4. Non si è ricordata. ______________________
5. Ha lasciato la scuola. — È (una) vergogna che abbia lasciato la scuola.
6. Ha perduto tutto al gioco. ______________________
7. Non ha superato l'esame. ______________________
8. Non ha risposto a nessuna domanda. ______________________

16. Trasformare

1. È probabile che arrivi domani. — È probabile che arriverà domani.
2. Può darsi che telefoni prima di domani. ______________________
3. Può essere che venga anche Lucia. ______________________
4. Spero che faccia bel tempo per il fine settimana. ______________________
5. Ho paura che tu prenda un malanno con questo brutto tempo. ______________________
6. Mi auguro che voi non partiate prima della fine del corso. ______________________

17. Replicare

1. Desidero che voi torniate subito a casa. — D'accordo, anche noi desideriamo tornare subito a casa.
2. Desidero che approfittiate dell'occasione. ______________________
3. Desidero che beviate ancora qualcosa. ______________________
4. Desidero che prendiate qualche giorno di riposo. ______________________
5. Desidero che vediate quello spettacolo. ______________________
6. Desidero che facciate un viaggio all'estero. ______________________

18. Completare (con il congiuntivo)

1. Un gatto così grande e con un muso così aguzzo? No, penso che ________ un cucciolo di cane.
2. È probabile che ________ un lupacchiotto.
3. È possibile, invece, che non ________ ancora camminare.
4. Senti che voce strana! Si lamenta? Piange? – È facile che ________ fame o che ________ la mamma.
5. Penso che ________ dalla sua tana un po' troppo e poi non ________ più ________ la strada di casa.
6. O può darsi che un cacciatore ________ la madre e ________ i figli; poi per la strada ________ un cucciolo.
7. Calma! Ragazzi, calma! Voglio che ________ bene la situazione.
8. Se noi portiamo a casa questo cucciolo, temo che ________.
9. Domani, però, bisogna che lo ________ allo zoo.

19. Completare (con le preposizioni)

1. La famiglia è andata ____ fare un picnic.
2. Dopo la merenda ____'erba, i bambini, Giuseppino e Pierino, giocando ____ bosco vicino, trovano un cucciolo.
3. Un gatto così grande e ____ un muso così aguzzo? No. Penso che sia un cucciolo ____ cane.
4. Un cane ____ questa coda? No, non è un cane.
5. Prendiamolo e portiamolo ____ noi.
6. Penso che si sia allontanato ____ sua tana un po' troppo.
7. Penso che non abbia più trovato la strada ____ casa.
8. O può darsi che un cacciatore abbia ucciso la madre e abbia catturato i figli; poi ____ la strada abbia perduto un cucciolo.
9. Io propongo ____ portarlo ____ noi.
10. Sì, avremo ____ lui tutte le cure.
11. Se noi portiamo ____ casa questo cucciolo, temo che muoia.
12. Anche questo è giusto. Allora faremo così: oggi lo portiamo ____ casa, gli diamo ____ latte.
13. Domani, però, bisogna che lo portiamo ____ zoo.

20. Combinare le parti di frase

1. È probabile che	abbia	camminare
2. È possibile che	chiami	fame
3. È facile che	sia	un po' troppo
4. È facile che	si sia allontanato	un lupacchiotto
5. Penso che	non sappia	la strada di casa
6. Penso che	un cacciatore	la mamma
7. Può darsi che	domani	abbia ucciso la madre
8. Può darsi che	non abbia trovato	lo portiamo allo zoo
9. Voglio che	comprendiate	bene la situazione
10. Bisogna che	un cacciatore	abbia perduto un cucciolo

21. Fare la domanda

1. Dove è andata la famiglia? — La famiglia è andata a fare un picnic.
2. ____________________? — Nel prato del bosco vicino.
3. ____________________? — Trovano un cucciolo.
4. ____________________? — Pensano che sia un gattino.
5. ____________________? — La strada di casa.
6. ____________________? — Un cacciatore.
7. ____________________? — Vorrebbero portarlo a casa.
8. ____________________? — Decide di affidarlo allo zoo.

CONGIUNTIVO PRESENTE

PARL-ARE

Mario pensa	che	io tu Piero Eva Lei	(non)	parl**i**	que-sta lin-gua
		(noi)		parl**iamo**	
		(voi)		parl**iate**	
		(loro)		parl**ino**	

SCRIV-ERE

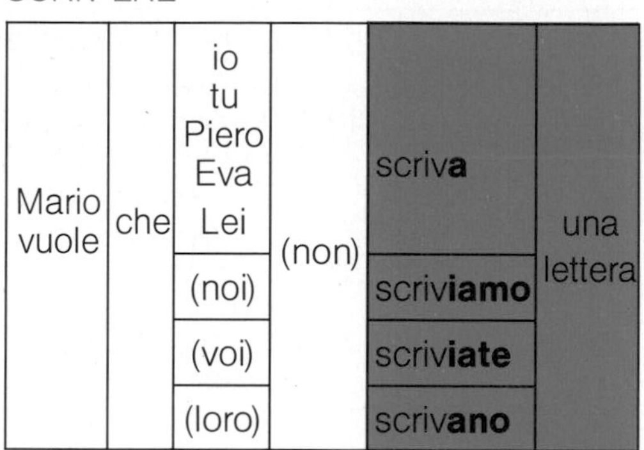

Mario vuole	che	io tu Piero Eva Lei	(non)	scriv**a**	una lettera
		(noi)		scriv**iamo**	
		(voi)		scriv**iate**	
		(loro)		scriv**ano**	

PART-IRE

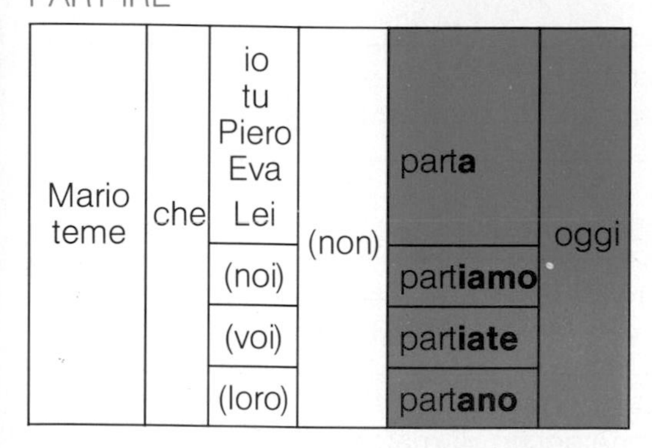

Mario teme	che	io tu Piero Eva Lei	(non)	part**a**	oggi
		(noi)		part**iamo**	
		(voi)		part**iate**	
		(loro)		part**ano**	

FIN-IRE

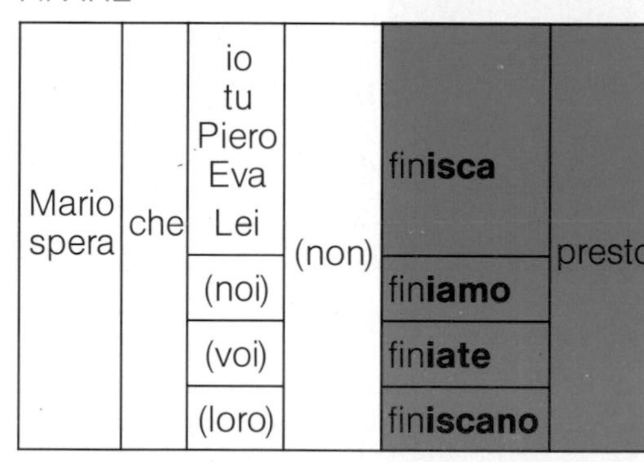

Mario spera	che	io tu Piero Eva Lei	(non)	fin**isca**	presto
		(noi)		fin**iamo**	
		(voi)		fin**iate**	
		(loro)		fin**iscano**	

ESSERE

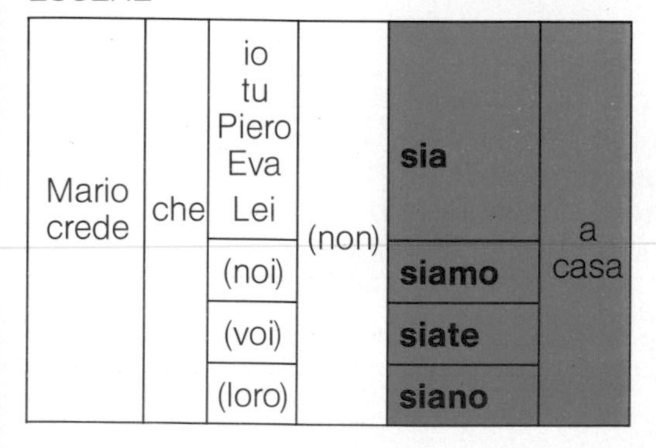

Mario crede	che	io tu Piero Eva Lei	(non)	**sia**	a casa
		(noi)		**siamo**	
		(voi)		**siate**	
		(loro)		**siano**	

AVERE

Mario crede	che	io tu Piero Eva Lei	(non)	**abbia**	ra-gione
		(noi)		**abbiamo**	
		(voi)		**abbiate**	
		(loro)		**abbiano**	

CONGIUNTIVO PASSATO

Antonio	crede teme spera	che	lei **sia partita** (loro) **siano uscite** Maria **abbia perso** il treno loro non **abbiano scritto**

VERBI O ESPRESSIONI DA CUI DIPENDE IL CONGIUNTIVO

PENSARE - CREDERE - SUPPORRE - RITENERE - PARERE - SEMBRARE

<table>
<tr><td rowspan="2">Penso
Credo
Suppongo
Ritengo
Mi pare
Mi sembra</td><td>che</td><td>lui sia a casa e abbia molte cose da fare
lei abiti a Perugia, ma frequenti l'università a Roma
domani ci sia (sarà) un bello spettacolo in piazza
tutti i presenti abbiano capito la lezione
loro siano già ritornate a casa
voi abbiate fatto del vostro meglio</td></tr>
<tr><td>di</td><td>non avere domande da fare
avere fatto fino in fondo il mio dovere
essere arrivata nel momento sbagliato</td></tr>
</table>

TEMERE - AVERE PAURA - SPERARE

<table>
<tr><td rowspan="2">Temo
Ho paura</td><td>che</td><td>lei parta domani per il suo paese
loro siano già partite per le vacanze estive</td></tr>
<tr><td>di</td><td>stare male
avere sbagliato strada</td></tr>
<tr><td rowspan="2">Spero</td><td>che</td><td>tu racconti esattamente ciò che è successo
Lei abbia passato una bella vacanza in Grecia</td></tr>
<tr><td>di</td><td>superare l'esame di economia
avere superato l'esame scritto di matematica</td></tr>
</table>

VOLERE - DESIDERARE - PREFERIRE

<table>
<tr><td rowspan="2">Voglio
Desidero
Preferisco</td><td>che</td><td>lui sia sempre gentile
loro non guardino la TV
voi leggiate molto in italiano
lei resti ancora un mese in Italia</td></tr>
<tr><td colspan="2">andare al cinema stasera
vedervi prima di partire</td></tr>
</table>

SI DICE - DICONO - SI RACCONTA - RACCONTANO - SEMBRA

Si dice **Dicono** **Si racconta** **Raccontano** **Sembra**	**che**	quel signore **sia** molto ricco lui **abbia perduto** molti soldi al gioco

PUÒ DARSI - PUÒ ESSERE - forse + indicativo

Può	**darsi** **essere**	**che**	domani **piova** ora **dorma** ieri **sia andato** a trovare Maria
Forse		domani pioverà ora dorme ieri è andato a trovare Maria	

BISOGNA - OCCORRE - È NECESSARIO

Bisogna **Occorre** **È necessario**	**che**	io **vada** alla posta a ritirare un pacco tu **venga** da me appena possibile lei **spedisca** immediatamente i documenti voi **veniate** a lezione in orario loro **abbiano** un po' di pazienza il professore **parli** lentamente
	fare questo in tempi brevi saper perdere	

LOCUZIONI CHE ESPRIMONO OPINIONE O GIUDIZIO

È	**facile** **difficile** **possibile** **impossibile**	**che**	loro **siano** a casa lui ancora **dorma** lei **abbia** già **risolto** il suo problema
		imparare bene l'italiano in due mesi	
	probabile **improbabile**	**che**	loro **vengano** a trovarmi durante le vacanze le cose **siano andate** come dici tu
	bello **brutto** **bene** **male** **giusto** **ingiusto**	**che**	tu **dica** queste cose voi **vi siate comportati** in quel modo
		parlare così dire come stanno le cose	
	meglio **peggio**	**che**	Lei **dica** la verità
		andare subito via	
	ora **tempo**	**che**	tu **metta** la testa a posto loro **seguano** i miei consigli
		di	dire pane al pane e vino al vino
	(un) peccato	**che**	voi non **possiate** venire da noi stasera tu non **abbia visto** quel film
		sprecare il tempo senza fare niente	
	(una) vergogna	**che**	tu **dica** tante parolacce loro **si siano ubriacati**
		comportarsi così	

CONGIUNZIONI O LOCUZIONI DA CUI DIPENDE IL CONGIUNTIVO

BENCHÉ - SEBBENE - MALGRADO - NONOSTANTE - QUANTUNQUE

Stasera andrò al cinema	**benché**	**sia** stanco morto
Ha una casa modesta	**sebbene**	**guadagni** molto denaro
Devo fare gli esercizi	**malgrado** / **nonostante**	stamattina **sia stato** assente
Conosce già molte persone	**quantunque**	**sia arrivata** solo ieri

PURCHÉ - A PATTO CHE - A CONDIZIONE CHE

Comincerò la lezione	**purché**	tutti **ascoltino** in silenzio
Ci fermeremo a cena	**a patto che**	tu **abbia preparato** qualcosa di buono
Ti racconterò tutto	**a condizione che**	tu non lo **dica** a nessuno

NEL CASO CHE

Devi andare dal dottore	**nel caso che**	domani non **ti senta** meglio
Mi telefonerà in tempo		lei non **possa** venire

PRIMA CHE - prima di+infinito (il soggetto del verbo principale è lo stesso dell'infinito)

Desidero il Suo indirizzo	**prima che**	L'ei **parta**
Maria ti telefonerà		tu **esca**
Faremo una festa		il corso **finisca**
Prendo sempre un aperitivo	prima di	pranzare
Ha molte cose da fare		ritornare a casa

SENZA CHE - senza+infinito (stesso soggetto)

Posso andare da solo	**senza che**	Lei **si disturbi** ad accompagnarmi
Farà ciò che è necessario		io glielo **chieda**
Ha fatto di testa sua	senza	ascoltare nessuno
Ha superato un esame		aprire libro

AFFINCHÉ - (PERCHÉ) - per+fare+infinito (stesso soggetto)

Andrò dai miei amici	**affinché (perché)**	mi **aiutino**
	per	farmi aiutare

CONGIUNTIVO - Verbi irregolari

STARE

Spera	che	io **stia** tu **stia** lui/lei **stia** (noi) **stiamo** (voi) **stiate** (loro) **stiano**	bene

DARE

È bene	che	io **dia** tu **dia** lui/lei **dia** (noi)**diamo** (voi) **diate** (loro) **diano**	l'esame

ANDARE

Occorre Bisogna	che	io **vada** tu **vada** lui/lei **vada** (noi) **andiamo** (voi) **andiate** (loro) **vadano**	a casa

VENIRE

Spera	che	io **venga** tu **venga** lui/lei **venga** (noi) **veniamo** (voi) **veniate** (loro) **vengano**	domani a lezione

DIRE

Vuole	che	io **dica** tu **dica** lui/lei **dica** (noi) **diciamo** (voi) **diciate** (loro) **dicano**	la verità

FARE

Desi- dera	che	io **faccia** tu **faccia** lui/lei **faccia** (noi) **facciamo** (voi) **facciate** (loro) **facciano**	silenzio

DOVERE

Pensa	che	io **debba** tu **debba** lui/lei **debba** (noi) **dobbiamo** (voi) **dobbiate** (loro) **debbano**	partire

POTERE

Spera	che	io **possa** tu **possa** lui/lei **possa** (noi) **possiamo** (voi) **possiate** (loro) **possano**	fare tutto

VOLERE

Pensa	che	io **voglia** tu **voglia** lui/lei **voglia** (noi) **vogliamo** (voi) **vogliate** (loro) **vogliano**	restare ancora

TOGLIERE

Vuole	che	io **tolga** tu **tolga** lui/lei **tolga** (noi) **togliamo** (voi) **togliate** (loro) **tolgano**	il dente

PORRE

Teme	che	io **ponga** tu **ponga** lui/lei **ponga** (noi) **poniamo** (voi) **poniate** (loro) **pongano**	un pro- blema

TENERE

Vuole	che	io **tenga** tu **tenga** lui/lei **tenga** (noi) **teniamo** (voi) **teniate** (loro) **tengano**	tutto in ordine

USCIRE

Non vuole	che	io **esca** tu **esca** lui/lei **esca** (noi) **usciamo** (voi) **usciate** (loro) **escano**	dopo cena

TRADURRE

Desidera	che	io **traduca** tu **traduca** lui/lei **traduca** (noi) **traduciamo** (voi) **traduciate** (loro) **traducano**	la lettera in inglese

Uso prevalente del congiuntivo
Il congiuntivo si impiega dopo:

- **Verbi o locuzioni indicanti un'opinione, un'affermazione incerta e personale** (pensare, credere, supporre, ritenere, immaginare, parere, sembrare, può essere, può darsi, è facile/difficile, è possibile/impossibile, è probabile/improbabile, si dice/dicono, si racconta/raccontano ecc.).
- **Verbi o espressioni di volontà, timore, speranza, ecc.,** (volere, desiderare, preferire, augurarsi, sperare, temere, avere paura, ecc.).
- **Verbi o locuzioni che esprimono un giudizio** (bisogna, occorre, è necessario, urge, conviene, è meglio/peggio, è bene/male, è giusto/ingiusto, è naturale, è normale, è preferibile, è indispensabile, è logico/illogico, è strano, è importante, è pericoloso, è stupido, è incredibile, è un peccato, è una vergogna, ecc.).
- **Verbi o locuzioni affettive** (essere lieto/a, essere felice, piacere, godere, dispiacere, rincrescere, rallegrarsi, essere spiacente, ecc.).
- **Congiunzioni o locuzioni congiuntive** (benché, malgrado, sebbene, quantunque, nonostante, affinché, acciocché, purché, a patto che, a condizione che, senza che, prima che, nel caso che, supposto che, ecc.).

LA STRADA DEL TEMPO

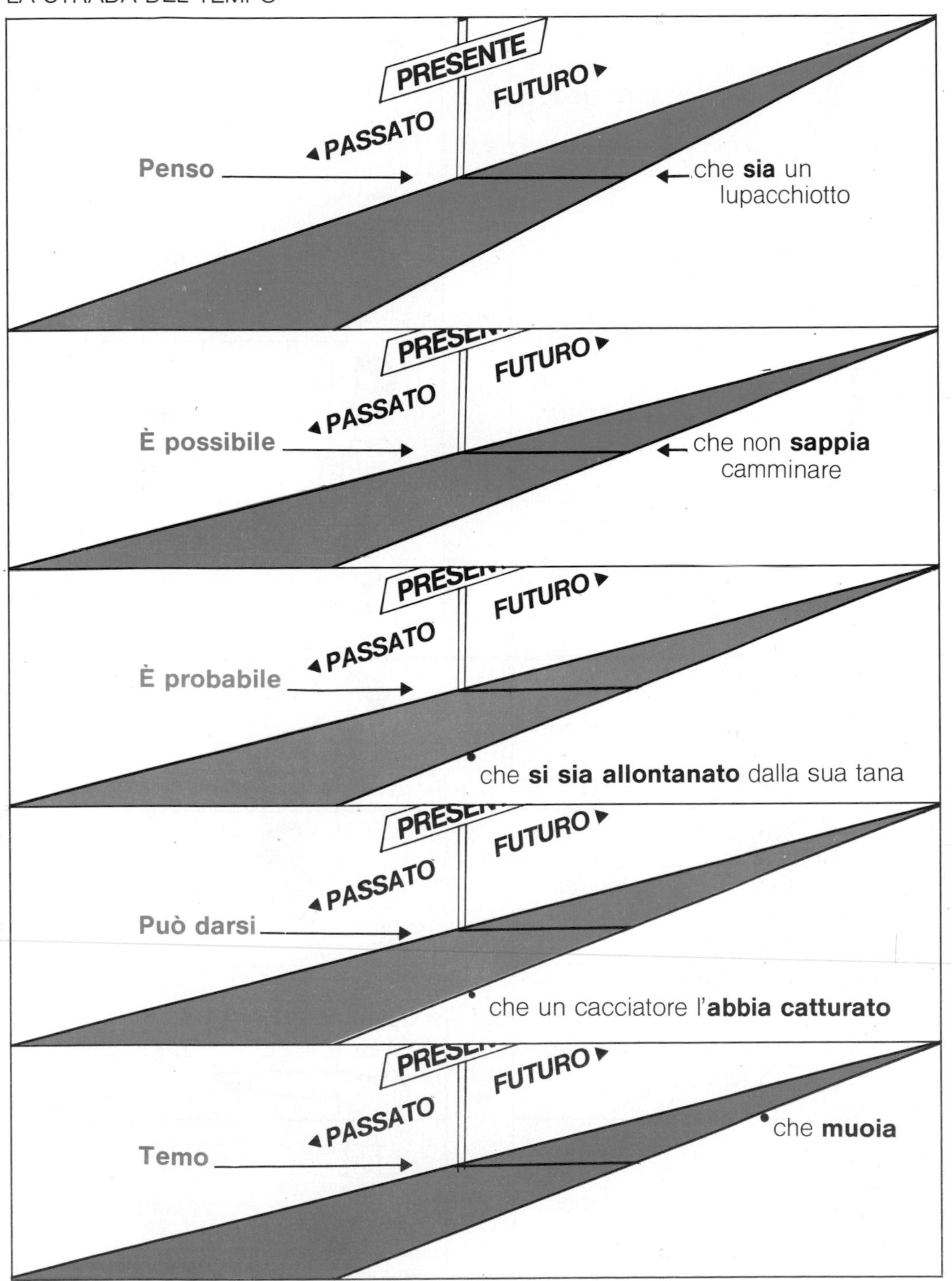

CONGIUNTIVO O INFINITO?

 **io** credo		 **tu** abbia ragione
 **io** credo		 **lui** abbia ragione
 **tu** credi	che	 **io** abbia ragione
 **voi** credete		 **lui** abbia ragione
 tu credi		 avere ragione
 voi credete		 avere ragione
 lui crede	di	 avere ragione
 io credo		 avere ragione

LESSICO

1. – Che animale sarà? Quanto è *bellino!*
2. – *Chissà* che animale può essere?
3. – Sai se Luciano ha comprato i biglietti?
   – No, non lo so; *chi* lo *sa*? Forse sì.
4. – *Forse si è allontanato* troppo dalla sua tana.
   – Sì, *penso* proprio che *si sia allontanato* troppo.
5. – Allora *faremo così:* oggi lo portiamo a casa e gli diamo il latte; domani lo portiamo allo zoo.
6. – E per la cena che si fa?
   – *Facciamo così:* io preparo una pizza al pomodoro e mozzarella e tu vai a comprare due bottiglie di birra e un po' di frutta.

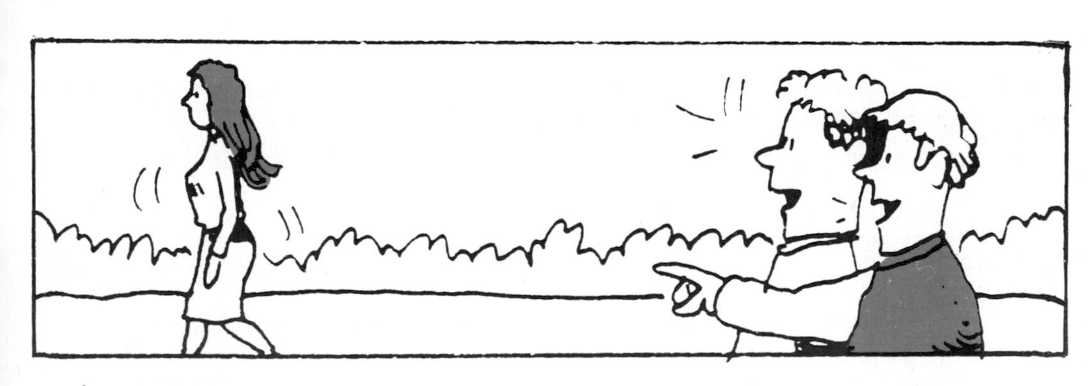

– È bella, quella ragazza!
– Proprio bella bella, no; è *bellina, carina,* graziosa.

1. – Dov'è *il cestino* per il picnic?
   – E *chissà* dov'e? L'ho messo in macchina, naturalmente.
   – Che cosa c'è dentro?
   – *Panini con prosciutto* e *formaggio*, *insalata di riso*, *lattine* di coca-cola e aranciata, frutta, *piatti*, *bicchieri* e *coltelli* di plastica, *tovaglioli* di carta.
2. – Noi partiamo con *la roulotte*, loro con *il camper*.
3. – Lì, potete *piazzare la tenda* e da quella parte sono *i servizi* e *le docce*.

FUNZIONI	ATTI COMUNICATIVI		
Porre un fatto come facile, apparente, probabile, improbabile, possibile, impossibile,	– Sembra –È facile probabile improbabile possibile impossibile	che	sia un lupacchiotto. abbia una zampa rotta.
o necessario	– È necessario – Bisogna	portarlo da un veterinario.	
		che	lui lo porti da un veterinario.
Ammirazione	– Carino! – Bellino! – Quant'è bellino! Quant'è carino!		
Pietà, partecipazione	– Poverino! – Poveretto! Mi fa pena! – Che pena!		

MOMENTO CREATIVO

Dettare il testo che segue

Il cucciolo

La famiglia è andata a fare un picnic. Dopo la merenda sul prato, i bambini, giocando nel vicino bosco, trovano un cucciolo.

Curiosi e sorpresi si domandano che animale sia: i due fratellini credono che sia un gattino, oppure un cagnolino o un lupacchiotto.

Il papà spiega che si tratta, invece, di un volpacchiotto.

Tutti si chiedono perché il cucciolo trema, piange, si lamenta e si trova lì da solo.

La mamma ritiene che abbia fame, che si sia allontanato un po' troppo c poi non abbia trovato la strada di casa.

Pierino, invece, teme che un cacciatore abbia ucciso mamma volpe, abbia preso i piccoli e che poi ne abbia perduto uno lungo la strada. Tutto è possibile.

I bambini vorrebbero portarlo a casa e tenerlo con loro, ma la mamma non è d'accordo perché ha paura che non sappiano curarlo e nutrirlo come si deve e lei stessa teme di non essere capace di avere cura di lui.

Il papà, infine, decide che la cosa migliore, per evitare che muoia, è portarlo a casa e affidarlo, l'indomani, allo zoo.

22. Leggere attentamente il testo che precede e ripetere a libro chiuso

23. Completare liberamente le frasi

1. La famiglia è andata a fare ______
2. I bambini hanno trovato ______
3. Pierino crede che ______
4. Il papà spiega che ______
5. La mamma ritiene che ______
6. Il grosso problema per tutti ______
7. I bambini vorrebbero ______
8. Il papà, infine, decide che ______

24. Domande personalizzate

1. Con la Sua famiglia fa spesso picnic, gite? Dove?
2. Le gite più belle sono quelle scolastiche?
3. Ha un animale in casa? Quale?
4. Chi se ne occupa?

25. Per la composizione scritta

1. L'animale che ha o che vorrebbe avere.
2. Una visita allo zoo.
3. La caccia è veramente sport leale e sano o sterminio indiscriminato di animali indifesi?

ESERCIZI DI REIMPIEGO E CONTROLLO AP.31
TEST DI CONTROLLO PERIODICO AP.46

ECOLOGIA

Da qualche anno vere campagne di promozione hanno stimolato grande attenzione e vivo interesse verso l'ecologia.

In Italia ci sono cinque *parchi nazionali:* Il Gran Paradiso, Lo Stelvio, L'Abruzzo, il Circeo e il Pollino in Calabria. Ma non solo questi: ormai tutte le regioni italiane cercano di allestire un proprio parco o riserva, anche se questo avviene tra le difficoltà provocate da numerosi interessi particolari.

Il Comitato Nazionale delle Ricerche ha creato una riserva naturale nell'isola di Montecristo di grande interesse per la flora, mentre luoghi protetti per gli uccelli acquatici sono presso il lago Burano, di Orbetello (Grosseto), di Bolgheri (Livorno).

Al parco del Gran Paradiso, per 60.000 ettari vive protetta una grande quantità di animali, piante e un paesaggio alpino di straordinaria bellezza.

Specchio d'acqua pura.

L'ermellino.

Panda, simbolo del W.W.F.

La creazione di altri parchi, in luoghi particolarmente importanti dal punto di vista naturalistico, è prevista tra breve: avremo Le Dolomiti, Il Delta del Po, I Monti dell'Uccellina in provincia di Grosseto, Il Gennargentu in Sardegna.

Ma attenzione particolare è rivolta in Italia ai mari e alle acque dei laghi, più bisognosi di cure immediate e decise.
Si proibisce così la pesca in vaste zone, si vieta il passaggio di barche a motore e si impone di mantenere le zone sempre pulite e sgombre da rifiuti non biodegradabili. A questo scopo sono già in atto numerose proposte: Promontorio di Portofino, Isola di Pianosa, zone costiere della Sardegna, Isole Tremiti e molte altre.

C'è in tutto il Paese un grande fervore per sensibilizzare tutti i cittadini con una attenta e continua opera educativa.

Parco Nazionale della Calabria.

Parco Nazionale della Calabria. Faggeta sull'Aspromonte.

Il capriolo.

Parco Nazionale dello Stelvio.
La Valle Lunga con il lago di San Giacomo alla testata dell'alta valle dell'Adda.

Parco Nazionale della Calabria.
Piantagione di pioppi a Gambarie.

Un corso d'acqua pura tra i monti.

Tutti i mass-media sono mobilitati per questo, le autorità politiche e soprattutto la scuola, svolgono questo compito importantissimo per rendere l'Italia un paese pulito, con acque pulite, con aria pulita, con boschi puliti e rispettati.

Siamo convinti che credere in un'Italia futura come un grande giardino, non sia illusione.

ECOLOGIA (DAL VIDEOCORSO)

Uomo e ambiente naturale sono impegnati da anni in una lotta che li vede avversari: da una parte la natura che vuole continuare a vivere la sua vita di sempre, dall'altra l'uomo che, col proposito di sfruttarla e di piegarla per la sua utilità, l'avvelena e la uccide.
È il parco del Gran Paradiso, sulle Alpi. Qui la natura vive indisturbata e mostra, nel ripetersi del ciclo vitale dei suoi animali e delle sue piante, nel bianco splendente delle vette, la sua volontà a non piegarsi e la sua offerta costante e incondizionata di vita.
Da vari anni vere campagne di promozione hanno stimolato grande attenzione verso l'ecologia, verso i problemi che interessano gli esseri viventi e l'ambiente. Per dare una soluzione, anche se parziale, a questi problemi, l'Italia ha realizzato cinque parchi nazionali dove si difendono, si proteggono e si curano piante e animali in pericolo di estinzione: il Gran Paradiso, lo Stelvio, l'Abruzzo, il Circeo, il Pollino.
Il parco dello Stelvio, sempre sulle Alpi, ospita e protegge, tra le altre specie, il lupo.
Nel parco nazionale d'Abruzzo l'orso bruno vive indisturbato.
Il parco del Pollino, in Calabria, accoglie una varietà di pino: il pino loricato.
Il Circeo mostra intatta e rude una natura selvaggia: su queste rocce assolate cresce la tipica macchia mediterranea.
Oasi del WWF sono sorte a Burano, Bolgheri e Orbetello; queste e altre iniziative sempre più numerose dimostrano la particolare attenzione che è rivolta alle acque dei fiumi, dei laghi, degli stagni e dei mari, bisognose di cure immediate ed efficaci.
Si proibisce così la pesca in vaste zone, si vieta il passaggio di barche e si impone di mantenere l'ambiente pulito e libero da rifiuti.
A questo proposito, la riserva marina di Ustica rappresenta un esempio di intervento a difesa dell'ambiente naturale marino.

Il cervo.

26. Questionario

1. Quanti parchi nazionali ci sono in Italia?
2. Quali sono?
3. Potrebbe indicarli con una certa approssimazione nella carta geografica d'Italia che trova a pag. 16?
4. Quali riserve naturali conosce in Italia?
5. Per mantenere le acque pulite e non inquinate che cosa si deve fare?
6. Cosa si deve fare per sensibilizzare i cittadini verso i problemi ecologici?
7. Che cosa si fa per questo nel Suo Paese?
8. Qual è il rapporto della gente con la natura nel Suo Paese?
9. Può dire brevemente la situazione dei boschi, dei fiumi, dei laghi e dei mari nel Suo Paese?

CONGIUNTIVO: IMPERFETTO E TRAPASSATO

l'artista

Rosa:
Ciao, Marisa. Sai che cosa ha fatto mio fratello Antonio?

Marisa:
No, Rosa, dimmelo!

Rosa:
Giorni fa è uscito di casa dicendo che voleva comprare tutto il necessario per dipingere.

Marisa:
Voleva ridipingere la sua stanza?

Rosa:
Anch'io *pensavo che volesse* cambiare il colore delle pareti della sua camera. Ma lui ha detto che voleva diventare pittore.

Marisa:
No. Non ci credo!

Rosa:
Nemmeno io ci credevo; *pensavo che scherzasse*. Invece è tornato con colori, pennelli, tela, tavolozza e cavalletto...

Marisa:
Insomma con tutto l'occorrente per dipingere.

Rosa:
Si è chiuso a chiave in camera sua, *perché* io e la mamma non *guardassimo*. Ma noi abbiamo visto tutto dal buco della chiave. Io *pensavo che avrebbe fatto* un quadro mediocre. Mia madre, invece, *sperava che facesse* un capolavoro.

Marisa:
E poi, che è successo?

Rosa:
Antonio si è messo a lanciare i colori sulla tela. A questo punto *temevo* proprio *che facesse* una porcheria.

Marisa:
E tua madre?

Rosa:
Oh! Era tutta emozionata. Andava e veniva dalla cucina alla camera.

Marisa:
E come è andata a finire?

Rosa:
Alla fine Antonio è uscito dalla sua camera e ci ha mostrato il quadro. Io *non riuscivo a capire che cosa fosse*... Poteva essere il ritratto della vicina di casa; ma *era* anche *possibile che fosse* un cesto di frutta.

Marisa:
E tua madre che ne pensava del quadro?

Rosa:
Per lei era bello e... basta. Io *ero dell'opinione che* mio fratello *avesse fatto* una cosa decisamente brutta, *volevo* buttarlo *prima che* qualcuno lo *vedesse*.

Marisa:
Posso vedere il quadro?

Rosa:
Qui sta il bello!... L'ha venduto!

1. Scelta multipla

1. Siamo tutti	☐ sportivi ☐ politici ☐ artisti
2. Antonio è uscito per comprare il necessario	☐ per scolpire ☐ per dipingere ☐ per tinteggiare
3. Antonio si è chiuso	☐ in soffitta ☐ in garage ☐ in camera
4. Antonio voleva ridipingere la sua	☐ macchina? ☐ stanza? ☐ moto?
5. Rosa pensava che il fratello	☐ scherzasse ☐ facesse sul serio ☐ stesse male
6. Antonio dipingeva e Rosa e la madre lo guardavano	☐ dalla terrazza ☐ dalla finestra ☐ dal buco della chiave
7. La madre sperava che il figlio facesse	☐ un quadro mediocre ☐ un capolavoro ☐ una porcheria
8. Era possibile che fosse	☐ un cesto di frutta ☐ il ritratto di un uomo ☐ il ritratto di un cane
9. Il quadro è stato	☐ venduto ☐ regalato ☐ distrutto

2. Vero o Falso?

	V	F
1. Antonio è uscito di casa per comprare un quadro.	☐	☐
2. Antonio voleva dipingere la sua stanza.	☐	☐
3. Antonio ha detto che voleva diventare pittore.	☐	☐
4. Antonio è tornato con l'occorrente per dipingere.	☐	☐
5. Antonio si è messo a lanciare i colori sulla tela.	☐	☐
6. La mamma pensava che il quadro fosse bello.	☐	☐
7. Il quadro poteva rappresentare la vicina di casa.	☐	☐
8. Era possibile che fosse un cesto di frutta.	☐	☐
9. Rosa voleva buttare via il quadro.	☐	☐

lo scultore scolpisce

3. Questionario

1. Che cosa racconta Rosa a Marisa?
2. Che cosa voleva comprare Antonio?
3. Che cosa ha pensato Rosa quando il fratello è uscito per comprare colori e pennelli?
4. Perché Antonio si è chiuso in camera sua?
5. Rosa e la mamma da dove guardavano il lavoro dell'artista?
6. Che cosa temeva Rosa prima che Antonio cominciasse a lavorare?
7. E cosa sperava la madre?
8. Che cosa poteva rappresentare il quadro?
9. Che cosa pensava del quadro la madre?
10. Dove sta la sorpresa?

4. Replicare

1. Antonio era in camera. *(al bar)* — E tu pensavi che fosse al bar.
2. La mamma era in cucina. *(in giardino)* ______
3. Il papà era in ufficio. *(in banca)* ______
4. La signorina era all'università. *(a casa)* ______
5. I ragazzi erano in camera. *(al bar)* — E tu hai pensato che fossero al bar.
6. Gli ospiti erano in salotto. *(in giardino)* ______
7. Le chiavi erano nel cassetto. *(sul tavolo)* ______
8. Le sigarette erano nella tasca. *(nella borsa)* ______

5. Rispondere

1. Aveva paura? — Sì, ma non pensavo che avesse tanta paura.
2. Aveva fame? ______
3. Aveva pazienza? ______
4. Aveva fiducia? ______
5. Avevano paura? — Sì, ma non pensavo che avessero tanta paura.
6. Avevano fame? ______
7. Avevano pazienza? ______
8. Avevano fiducia? ______

6. Trasformare

1. Dovevi restare ancora. — Era opportuno che tu restassi ancora.
2. Dovevi studiare ancora. ______
3. Dovevi lavorare ancora. ______
4. Dovevi riposare ancora. ______
5. Dovevate restare ancora. — Era meglio che voi restaste ancora.
6. Dovevate studiare ancora. ______
7. Dovevate lavorare ancora. ______
8. Dovevate riposare ancora. ______

7. Rispondere

1. Perché non gli hai scritto? — Perché pensavo che gli scrivessi tu.
2. Perché non le hai risposto? ______________________
3. Perché non li hai presi? ______________________
4. Perché non lo hai corretto? ______________________
5. Perché non gli avete scritto? — Perché pensavamo che gli scriveste voi.
6. Perché non le avete risposto? ______________________
7. Perché non li avete presi? ______________________
8. Perché non lo avete corretto? ______________________

8. Replicare

1. Finalmente sei venuto! — Perché, pensavi che io non venissi?
2. Finalmente sei partito! ______________________
3. Finalmente sei uscito! ______________________
4. Finalmente sei salito! ______________________
5. Finalmente avete capito! — Perché, pensavi che non capissimo?
6. Finalmente avete finito! ______________________
7. Finalmente avete aperto! ______________________
8. Finalmente avete applaudito! ______________________

9. Trasformare

1. Desidero che tu faccia in fretta. — Desideravo che tu facessi in fretta.
2. Desidero che tu faccia presto. ______________________
3. Desidero che tu stia attento. — Desideravo che tu stessi attento.
4. Desidero che tu stia zitto. ______________________
5. Desidero che tu dica tutto. — Desideravo che tu dicessi tutto.
6. Desidero che tu dica la verità. ______________________
7. Desidero che tu mi dia il tuo indirizzo. — Desideravo che tu mi dessi il tuo indirizzo.
8. Desidero che tu mi dia una mano. ______________________

10. Trasformare

1. Non voglio che lui beva troppo. — Non volevo che lui bevesse troppo.
2. Non voglio che lui beva caffè. ________________
3. Non voglio che lui proponga questa spesa. — Non volevo che lui proponesse questa spesa.
4. Non voglio che lui proponga questa soluzione. ________________
5. Non voglio che lui traduca questa lettera. — Non volevo che lui traducesse questa lettera.
6. Non voglio che lui traduca questo articolo. ________________
7. Non voglio che lui sia presente. — Non volevo che lui fosse presente.
8. Non voglio che lui sia triste. ________________

il pittore dipinge

11. Replicare

1. Non ha ancora studiato. — E io pensavo che avesse già studiato.
2. Non ha ancora mangiato. ________________
3. Non ha ancora risposto. ________________
4. Non ha ancora telefonato. ________________
5. Non li hanno ancora invitati. — E io pensavo che li avessero già invitati.
6. Non li hanno ancora chiamati. ________________
7. Non li hanno ancora finiti. ________________
8. Non li hanno ancora preparati. ________________

12. Trasformare

1. Temo che sia già uscito: — Temevo che fosse già uscito.
2. Temo che sia già partito. ____________
3. Spero che sia già arrivato. ____________
4. Spero che sia già guarito. ____________
5. Ho paura che si sia ammalata. — Avevo paura che si fosse ammalata.
6. Ho paura che si sia annoiata. ____________
7. Spero che si sia divertita. ____________
8. Spero che si sia trovata bene. ____________

13. Trasformare

1. Tutti credevano che io telefonassi. — Tutti credevano che io avrei telefonato.
2. Tutti credevano che io le scrivessi. ____________
3. Tutti credevano che io capissi. ____________
4. Tutti credevano che io facessi un viaggio all'estero. ____________
5. Io pensavo che lui rimanesse. — Io pensavo che lui sarebbe rimasto.
6. Io pensavo che lui venisse subito. ____________
7. Io pensavo che lui arrivasse in tempo. ____________
8. Io pensavo che lui partisse l'indomani. ____________

14. Trasformare

1. Penso di stare male. — Pensavo di stare male.
2. Credo di avere capito tutto. ____________
3. Spero di fare un bel viaggio. ____________
4. Mi pare di avere detto tutto. ____________
5. Speriamo di fare una bella gita. ____________
6. Pensiamo di non avere problemi. ____________
7. Vogliamo prendere qualche giorno di vacanza. ____________
8. Desideriamo pensare al nostro futuro. ____________

15. Completare (con il congiuntivo o il condizionale composto)

1. Anch'io pensavo che ________________ cambiare il colore delle pareti della sua camera.
2. Nemmeno io ci credevo; pensavo che ________________.
3. Si è chiuso a chiave in camera sua, perché io e la mamma non ________________ ________________.
4. Io pensavo che ________________ quadro mediocre.
5. Mia madre, invece, sperava che ________________ un capolavoro.
6. A questo punto temevo proprio che ________________ una porcheria.
7. Io non riuscivo a capire che cosa ________________.
8. Poteva essere il ritratto della vicina di casa; ma era anche possibile che ________________ un cesto di frutta.
9. Io ero dell'opinione che mio fratello ________________ una cosa decisamente brutta.
10. Volevo buttarlo prima che qualcuno lo ________________.

il musicista compone

il cantante canta

16. Completare (con le preposizioni)

1. Giorni fa è uscito ______ casa dicendo che voleva comprare tutto il necessario ______ dipingere.
2. Anch'io pensavo che volesse cambiare il colore ______ pareti ______ sua camera.
3. Invece è tornato ______ colori, pennelli, tela, tavolozza e cavalletto...
4. Insomma ______ tutto l'occorrente ______ dipingere.
5. Si è chiuso ______ chiave ______ camera sua.
6. Ma noi abbiamo visto tutto ______ buco ______ chiave.
7. Antonio si è messo ______ lanciare i colori ______ tela.
8. ______ questo punto temevo proprio che facesse una porcheria.
9. Andava e veniva ______ cucina ______ camera.
10. ______ fine Antonio è uscito ______ sua camera e ci ha mostrato il quadro.
11. Io non riuscivo ______ capire che cosa fosse...
12. Poteva essere il ritratto ______ vicina ______ casa.
13. Ma era anche possibile che fosse un cesto ______ frutta.
14. E tua madre che ne pensava ______ quadro?
15. Io ero ______'opinione che mio fratello avesse fatto una cosa decisamente brutta.

17. Combinare le parti di frase

1. Antonio	è uscito di casa	a lanciare	i colori	il necessario per dipingere.
	ha detto	dicendo	mostrato	pittore.
	si è messo	ha	che voleva comprare	il quadro.
	ci	che voleva	diventare	sulla tela.

2. Anch'io pensavo che	che mio fratello	una porcheria.
Io pensavo che	a capire	lo vedesse.
Io volevo buttarlo	avrebbe fatto	il colore delle pareti.
Temevo proprio che	facesse	che cosa fosse.
Io non riuscivo	volesse cambiare	avesse fatto una cosa brutta.
Io ero dell'opinione	prima che qualcuno	un quadro mediocre.

3. La mamma	sperava	dalla cucina	un capolavoro.
	andava e veniva	che facesse	alla camera.

18. Fare la domanda

1. Cosa racconta Rosa? — Racconta che cosa ha fatto Antonio.
2. ____________________? — Vuole comprare tutto il necessario per dipingere.
3. ____________________? — Pensava che volesse cambiare il colore delle pareti.
4. ____________________? — Aveva detto che voleva diventare un pittore.
5. ____________________? — Si è chiuso per non essere disturbato.
6. ____________________? — Hanno visto dal buco della chiave.
7. ____________________? — Rosa temeva che il fratello avrebbe fatto un quadro mediocre.
8. ____________________? — Nel fatto che il quadro è stato venduto.

CONGIUNTIVO IMPERFETTO dei verbi regolari e irregolari

Pensava		parla-		bene	(parlare)
		legge-	**-ssi**	molto	(leggere)
		capi-		tutto	(capire)
Ha pensato		parti-	**-ssi**	in treno	(partire)
		fo-		a casa alle 9	(essere)
		dice-	**-sse**	la verità	(dire)
Voleva	**che**	de-		l'esame di fisica	(dare)
		face-		tutto il possibile	(fare)
		ste-	**-ssimo**	fuori	(stare)
Desiderava		pone-		in ordine i libri	(porre)
		traduce-	**-ste**	alla lettera	(tradurre)
		promuove-		tutti	(promuovere)
		compi-	**-ssero**	una buona azione	(compiere)
Credeva		beve-		solo birra	(bere)

CONGIUNTIVO IMPERFETTO E TRAPASSATO

Pensavo **Ho pensato** **Credevo** **Ho creduto** **Supponevo** **Ho supposto** **Ritenevo** **Ho ritenuto**	**che**	lui **fosse** a casa e **avesse** molte cose da fare lei **abitasse** a Perugia, ma **frequentasse** l'università a Roma loro **stessero** ascoltando la radio
		tutti **avessero capito** la lezione voi **aveste fatto** del vostro meglio loro **fossero** già **ritornate** a casa
		ci sarebbe stato **(fosse)** un concerto in piazza lui avrebbe fatto **(facesse)** un capolavoro il treno sarebbe arrivato **(arrivasse)** in ritardo
Mi pareva **Mi sembrava**	di	non avere domande da fare avere fatto fino in fondo il mio dovere essere arrivata nel momento sbagliato

<table>
<tr><td rowspan="2">Temevo
Ho temuto

Avevo paura
Ho avuto paura</td><td>che</td><td>lui fosse malato
lei sarebbe partita (partisse) presto per il suo Paese
l'indomani sarebbe piovuto (piovesse)
loro fossero già partite per le vacanze estive
mio fratello avesse fatto una brutta azione</td></tr>
<tr><td>di</td><td>stare male
avere sbagliato strada</td></tr>
<tr><td rowspan="2">Speravo

Ho sperato</td><td>che</td><td>tu raccontassi esattamente ciò che era accaduto
Lei avesse passato una bella vacanza in Grecia</td></tr>
<tr><td>di</td><td>superare l'esame di economia
avere superato l'esame scritto di matematica</td></tr>
</table>

<table>
<tr><td rowspan="2">Volevo
Ho voluto
Desideravo
Ho desiderato
Preferivo
Ho preferito</td><td>che</td><td>lui fosse sempre gentile
loro non guardassero quel film in TV
voi leggeste molto in italiano
lei restasse ancora un mese in Italia</td></tr>
<tr><td colspan="2">andare al cinema ieri sera
vedervi prima di partire</td></tr>
</table>

<table>
<tr><td>Si diceva
Si raccontava</td><td>che</td><td>quel signore fosse molto ricco
lui avesse perduto molti soldi al gioco</td></tr>
</table>

<table>
<tr><td>Poteva</td><td>darsi
essere</td><td>che</td><td>stesse male
non avesse ricevuto la mia lettera</td></tr>
<tr><td>Forse</td><td colspan="3">stava male
non aveva ricevuto la mia lettera</td></tr>
</table>

<table>
<tr><td rowspan="2">Bisognava

Occorreva

Era necessario

È stato necessario</td><td>che</td><td>io andassi alla posta a ritirare un pacco
lei spedisse immediatamente i documenti
voi veniste a lezione in orario
il professore parlasse più lentamente
loro mi spiegassero bene la situazione</td></tr>
<tr><td colspan="2">finire il lavoro in quattro e quattr'otto
aspettare fino alla fine</td></tr>
</table>

<table>
<tr><td rowspan="13">Era</td><td rowspan="2">facile
difficile
possibile
impossibile</td><td>che</td><td>fossero a casa
lui ancora dormisse
lei avesse già risolto il suo problema.</td></tr>
<tr><td colspan="2">esprimere un giudizio in quel momento</td></tr>
<tr><td>probabile
improbabile</td><td>che</td><td>loro si trovassero in difficoltà.
le cose fossero andate come dicevi tu.</td></tr>
<tr><td rowspan="2">bello
brutto
bene
male
giusto
ingiusto</td><td>che</td><td>tu dicessi quelle cose
lui si comportasse in quel modo</td></tr>
<tr><td colspan="2">parlare in quell'occasione
dire come stavano le cose</td></tr>
<tr><td rowspan="2">meglio
peggio</td><td>che</td><td>tu dicessi la verità</td></tr>
<tr><td colspan="2">andare via subito</td></tr>
<tr><td rowspan="2">ora
tempo</td><td>che</td><td>tu mettessi la testa a posto
loro seguissero i nostri consigli</td></tr>
<tr><td>di</td><td>dire pane al pane e vino al vino</td></tr>
<tr><td rowspan="2">(un) peccato</td><td>che</td><td>voi non poteste venire da noi ieri sera
loro non avessero visto quel film</td></tr>
<tr><td colspan="2">sprecare il tempo senza fare niente</td></tr>
<tr><td rowspan="2">(una) vergogna</td><td>che</td><td>lei dicesse tante parolacce
voi vi foste ubriacati alla festa</td></tr>
<tr><td colspan="2">comportarsi in quel modo</td></tr>
</table>

CONGIUNZIONI E LOCUZIONI DA CUI DIPENDE IL CONGIUNTIVO

<table>
<tr><td rowspan="2">Sono andata dai miei amici</td><td>affinché
(perché)</td><td>mi aiutassero</td></tr>
<tr><td>per</td><td>farmi aiutare</td></tr>
</table>

<table>
<tr><td>Gli ho telefonato</td><td rowspan="3">prima che</td><td>lui partisse</td></tr>
<tr><td>Mi è venuta a trovare</td><td>io uscissi</td></tr>
<tr><td>Ho terminato tutto il programma</td><td>il corso finisse</td></tr>
<tr><td>Ho sempre studiato molto</td><td rowspan="2">prima di</td><td>presentarmi agli esami</td></tr>
<tr><td>Ha fatto una bella doccia</td><td>pranzare</td></tr>
</table>

Ha fatto tutto da solo	**senza che**	nessuno l'**aiutasse**
Mi ha dato una mano		gli **chiedessi** niente
Sono rientrati tardissimo		mi **avvisassero**
Abbiamo fatto di testa nostra	senza	ascoltare nessuno
Ha superato un esame		aprire un libro
Sono andata via		salutare nessuno

Ieri è uscito	**benché** **sebbene** **malgrado** **nonostante** **quantunque**	**fosse** stanco morto
L'ho riconosciuta		**avesse** uno strano cappello in testa
Non è venuta alla mia festa		l'**avessi pregata** di non mancare

Ci siamo fermati	**purché**	ci **preparasse** qualcosa da mangiare
Mi ha raccontato tutto	**a patto che**	non lo **dicessi** a nessuno
Mi ha prestato i soldi	**a condizione che**	glieli **restituissi** nel giro di pochi giorni

CONGIUNTIVO PRESENTE E PASSATO (schema riassuntivo)

<table>
<tr><td rowspan="11">Ora

Ades-
so</td><td rowspan="11">penso
credo
ritengo
suppongo
immagino
temo
ho paura
spero
mi sembra
mi pare</td><td rowspan="9">che</td><td rowspan="9">lui</td><td colspan="2">sia</td><td rowspan="6">(ora)
(ogni giorno)

(domani)</td></tr>
<tr><td colspan="2">abbia</td></tr>
<tr><td colspan="2">—i</td></tr>
<tr><td colspan="2">—a</td></tr>
<tr><td colspan="2">—a</td></tr>
<tr><td colspan="2">—isca</td></tr>
<tr><td>abbia</td><td rowspan="2">—ato
—uto
—ito</td><td rowspan="2">(ieri)</td></tr>
<tr><td>sia</td></tr>
<tr><td colspan="2">—rà</td><td>(domani)</td></tr>
<tr><td rowspan="2">di</td><td colspan="3">—are
—ere
—ire</td><td>(ora)

(domani)</td></tr>
<tr><td colspan="2">avere
essere</td><td>—ato
—uto
—ito</td><td>(ieri)</td></tr>
</table>

(essere)
(avere)
(...are)
(...ere)
(...ire)
(...ire)

CONGIUNTIVO IMPERFETTO E TRAPASSATO (schema riassuntivo)

<table>
<tr><td rowspan="5">Ieri,
alle 9,</td><td rowspan="5">ho creduto
ho supposto
ho ritenuto
ho sperato
ho pensato
ho temuto
credevo
pensavo
supponevo
ritenevo
temevo
speravo
mi pareva
mi sembrava</td><td rowspan="3">che</td><td rowspan="3">lui</td><td colspan="2">—sse</td><td>(ieri, alle 9)
(ogni giorno nel passato)
(ieri, alle 10)</td></tr>
<tr><td>avesse
fosse</td><td>—ato
—uto
—ito</td><td>(ieri, alle 8)</td></tr>
<tr><td>avrebbe
sarebbe</td><td>—ato
—uto
—ito</td><td>(ieri, alle 10)</td></tr>
<tr><td rowspan="2">di</td><td colspan="3">—are
—ere
—ire</td><td>(ieri, alle 9)
(ieri, alle 10)</td></tr>
<tr><td colspan="2">avere
essere</td><td>—ato
—uto
—ito</td><td>(ieri, alle 8)</td></tr>
</table>

18 OCCHIO ALLA LINGUA!

LESSICO

1. – *Che intenzioni ha*? Che cosa vuol fare? Vuol partire o vuol restare?
   – Non so *che cosa si sia messo in testa*.
2. – Tua madre *ha* sempre *avuto un debole* per tuo fratello.
3. – Tu pensi che Giovanni *abbia una simpatia, una preferenza* per me?
   – Sì, penso proprio che *abbia un debole* per te.
4. – Mia madre girava, girava, era *tutta emozionata*.
5. – *Come è andata a finire* l'avventura in montagna di tuo zio?
   – *È andata a finire bene*, è riuscito a raggiungere il rifugio. Si è conclusa bene.
6. – *Dove eri andato a finire*? Ti abbiamo cercato dappertutto.
   – Mi ero messo a fare un pisolino in giardino.

1. — Sai? Antonio *ha allestito* finalmente *una mostra*.
   — Ah, bene! Dove *sono esposti i suoi quadri*?
2. — Scusi, dov'è *il catalogo* delle opere di questo scultore?
3. — A quale *movimento* appartiene questo pittore?
   — È uno dei *maestri* dell'*impressionismo*.

FUNZIONI	ATTI COMUNICATIVI		
Sorpresa	– Lui vuole diventare un pittore.	⇨	– Davvero?! – Possibile?! – Tu scherzi!
Chiedere di continuare a raccontare	– E poi? – E allora? E dopo? – Continua! – Dai! Continua!		
Chiedere di concludere	– E allora come è andata a finire? – Insomma, come è finita la cosa?		
Congratulazioni Approvazione	– Ecco il mio quadro.	⇨	– Complimenti! – Bravo! – Tutti i miei complimenti! – Che bravo! – Tu sì che sai dipingere! – Tu sì che sei un artista! – Questo sì che mi piace!
Disapprovazione			– Che schifo! – Ma questa è arte? – Non ci capisco niente! – Dovrebbe cambiare mestiere!

Dettare il testo che segue

L'artista

Talvolta, all'improvviso, si scoprono qualità che nessuno avrebbe mai supposto.

A questo proposito Rosa racconta a Marisa l'ultima trovata del fratello Antonio.

Alcuni giorni prima, appunto, Antonio era uscito di casa dicendo che voleva comprare tutto il necessario per dipingere.

La sorella pensava che volesse cambiare la tinta delle pareti della sua camera, ma lui aveva precisato che voleva diventare un pittore.

E non scherzava affatto; tanto è vero che era ritornato con tutto l'occorrente per dipingere.

Per non essere disturbato e osservato, si era chiuso in camera sua. Ma Rosa e la mamma, dal buco della serratura, avevano visto tutto.

Nell'attesa, perciò, l'una pensava che l'improvvisato artista facesse una vera porcheria; l'altra invece era fermamente convinta che il figlio stesse esprimendo tutta la sua carica artistica.

L'interpretazione del quadro finito risultava piuttosto difficile: poteva essere il ritratto di una persona o una natura morta.

La sorpresa sta nel fatto che Antonio era riuscito subito a venderlo; aveva pertanto ragione sua madre, quando pensava che il figlio avesse dipinto una vera opera d'arte...

19. Leggere attentamente il testo che precede e ripetere a libro chiuso

una mostra di pittura

20. Cosa significa

1. L'ultima trovata
2. L'occorrente
3. Il buco della serratura o della chiave
4. Un capolavoro
5. Una porcheria
6. Era tutta emozionata
7. Aria di trionfo
8. La carriera
9. Natura morta

21. Completare liberamente le frasi

1. Talvolta, all'improvviso, si scoprono ____________________
2. Rosa racconta ____________________
3. Era uscito di casa dicendo ____________________
4. La sorella pensava che ____________________
5. Ma lui aveva precisato che ____________________
6. Per non essere disturbato ____________________
7. L'una, la sorella, temeva che ____________________
8. L'altra, la madre, era fiduciosa che ____________________
9. L'interpretazione del quadro risultava ____________________
10. Poteva essere ____________________
11. La sorpresa sta nel fatto che ____________________

22. Domande personalizzate

1. Le piace la pittura? Perché?
2. L'educazione artistica è materia di studio nelle scuole del Suo Paese?
3. Pittori famosi del passato e del presente nel Suo Paese.
4. Conosce qualche pittore famoso italiano? Quale?

23. Per la composizione scritta

1. Ha mai provato a dipingere? Racconti.
2. Una mostra di pittura che ha visitato di recente.

ESERCIZI DI REIMPIEGO E CONTROLLO AP.34

LA PITTURA ITALIANA E RAFFAELLO (DAL VIDEOCORSO)

La pittura italiana del '300, '400 e '500 è famosa in tutto il mondo attraverso le opere di grandi artisti, tra i quali ricordiamo Giotto, la cui opera si apre alla realtà quotidiana e all'ambiente circostante e precorre il Rinascimento, Leonardo da Vinci, maestro delle luci e delle ombre, Michelangelo Buonarroti, insuperabile nel suo vigore espressivo.

Michelangelo. Cappella Sistina. Il Giudizio Universale.

Raffaello. Autoritratto.

Un altro grande del Rinascimento è Raffaello Sanzio.

Il celebre artista nasce a Urbino nel 1483. Nato da un padre pittore, il giovane Raffaello trova nella piccola ma fiorente città di Urbino un ambiente favorevole allo sviluppo della sua vocazione artistica.

Verso il 1499 Raffello frequenta la scuola del Perugino e lo aiuta nella decorazione pittorica del Palazzo del Cambio di Perugia.

Il celebre dipinto "Lo sposalizio della Vergine", del 1504, ora nella Pinacoteca di Milano, porta un elemento nuovo nella pittura di soggetti religiosi:

Raffaello. La Transfigurazione.

Raffaello. Lo sposalizio della Vergine.

Michelangelo. Cappella Sistina. La Creazione (particolare).

Michelangelo. Cappella Sistina. Peccato originale.

Raffaello. Deposizione detta "Baglioni".

un paesaggio naturale nello sfondo del quadro.

Raffaello dal 1504 al 1508 lavorava a Firenze. Di questo periodo sono alcuni celebri ritratti: "La donna con il liocorno", "La muta", "Maddalena Doni" e suo marito "Agnolo Doni" e alcune delle sue Madonne più famose: la "Madonna detta del Granduca" e la "Madonna del Cardellino".

Nel 1508 il Papa Giulio II chiama Raffaello a Roma, dove già lavoravano Michelangelo e Leonardo. Nel periodo della sua maturità artistica e tecnica decora gli appartamenti papali con monumentali affreschi: la stanza della Segnatura con la "Disputa del Sacramento", "La Scuola di Atene" e la stanza di "Eliodoro", con "La cacciata di Eliodoro" e il "Il miracolo di Bolsena".

A Roma Raffaello dipinge altre Madonne "en plein air", ritratti di Papi, cardinali, gentildonne e popolane romane.

Decora palazzi e chiese e crea una Scuola di giovani artisti: artigiani e architetti per abbellire la città dei Papi.

Uno dei suoi ultimi capolavori di pittura è "La Trasfigurazione", quadro che si ammira nella Pinacoteca del Vaticano.

Muore a soli 37 anni nel 1520 a Roma.

24. Questionario

1. Quali sono i più grandi artisti del '300, '400 e '500?
2. Dove e quando nasce Raffaello?
3. Quale è la professione del padre di Raffaello?
4. In quale anno Raffaello comincia a frequentare la scuola del Perugino?
5. Dove si trova ora il dipinto "Lo sposalizio della Vergine"?
6. In quale periodo Raffaello lavora a Firenze?
7. Quali celebri ritratti di Raffaello Lei ricorda?
8. A Roma con quali altri grandi artisti lavora?
9. Che cosa dipinge a Roma?
10. Quando e dove muore il giovane Raffaello?

PERIODO IPOTETICO

a pesca

19

Enzo e Silvano, vicini di casa, sono appassionati di pesca.

Enzo:
Silvano, anche domani a pesca?

Silvano:
Sicuro. Solita ora, solito posto. E tu, Enzo, che fai?

Enzo:
Voglio ancora provare al vecchio molino.

Silvano:
Perché non vieni dove vado io? Vedrai, *se verrai*, non *ti pentirai*.

Enzo:
Dici sul serio? *Se venissi* alla curva del ponte, *avrei* più fortuna?

Silvano:
Non c'è dubbio. *Se ti deciderai* a cambiare posto, *prenderai* tanto pesce e *mangerai* pesce per una settimana e lo *regalerai* anche agli amici. *Se vieni, avvertimi.*

(Il giorno dopo, i due pescatori sono in riva al fiume, alla curva del ponte)

Enzo:
Sono due ore che abbiamo cominciato a pescare, ma ancora niente. Sei sicuro che questo è il posto buono?

Silvano:
Che domande fai? *Verrei* qui ogni domenica, *se* non *prendessi* pesce?

Enzo:
Forse *se ci spostassimo* più a valle, le cose *andrebbero* meglio.

Silvano:
O forse sei tu che mi spaventi i pesci? Una sfortuna come oggi non mi era mài capitata.

Enzo:
Così tu pensi che *se* io non ci *fossi*, tu *prenderesti* qualche pesce?

Silvano:
Sì, ho la sensazione che tu mi porti sfortuna.

Enzo:
Ho capito; me ne vado.

(Il lunedì mattina, andando al lavoro, i due vicini si incontrano)

Enzo:
Allora, come è andata senza la mia presenza?

Silvano:
Vorrei che tu mi scusassi per ieri.

Enzo:
Lascia perdere, non importa! Allora, hai preso molti pesci, sì o no?

Silvano:
Macché, nemmeno uno.

Enzo:
Mi dispiace per te. Io ho riempito la mia cesta. *Se avessi cambiato* posto, anche tu *avresti riempito* la tua!

Silvano:
Magari ti avessi ascoltato!

---

1. Scelta multipla

1. Enzo e Silvano sono vicini di	☐ casa ☐ stanza ☐ ufficio
2. Enzo e Silvano sono appassionati di	☐ calcio ☐ pesca ☐ musica
3. Enzo vuole ancora provare al vecchio	☐ molino ☐ ponte ☐ castello
4. Enzo si lascia	☐ convincere ☐ aiutare ☐ consigliare
5. Enzo non è sicuro che quello è il posto	☐ buono ☐ utile ☐ preciso
6. Le cose andrebbero meglio, se si spostassero più	☐ a monte ☐ a valle ☐ a destra
7. Silvano ha l'impressione che l'amico gli porti	☐ bene ☐ sfortuna ☐ fortuna
8. Il lunedì, quando l'incontra, vorrebbe che l'amico lo	☐ capisse ☐ cercasse ☐ scusasse
9. Se avesse cambiato posto, avrebbe riempito	☐ la cesta ☐ la borsa ☐ il cassetto

a pesca

2. Vero o Falso?

	V	F
1. Enzo e Silvano sono due colleghi d'ufficio.	☐	☐
2. Enzo e Silvano sono appassionati di caccia.	☐	☐
3. Enzo e Silvano sono vicini di casa.	☐	☐
4. L'appuntamento è in riva al fiume.	☐	☐
5. Dopo due ore di pesca, sono ancora a mani vuote.	☐	☐
6. I due amici si incontrano il lunedì mattina.	☐	☐
7. I due amici si incontrano tornando dal lavoro.	☐	☐
8. Silvano ha preso molti pesci.	☐	☐
9. Enzo ha riempito la sua cesta.	☐	☐

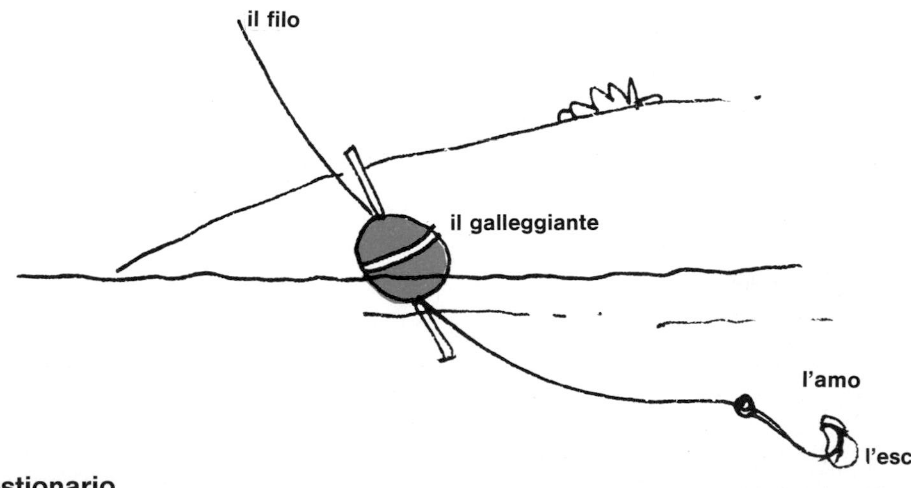

3. Questionario

1. Qual è la passione di Enzo e Silvano?
2. Dove vuole ancora provare Enzo?
3. Quanto pesce prenderà Enzo, se si deciderà a cambiare posto?
4. Dove è l'appuntamento per il giorno dopo?
5. Dopo due ore, quanto pesce hanno pescato i due amici?
6. Cosa decide Enzo, dopo due ore di pesca inutile?
7. Perché, il giorno dopo, Silvano vorrebbe che l'amico lo scusasse?
8. Cosa comunica Enzo all'amico?
9. Qual è l'espressione di Silvano al sentire quanta fortuna ha avuto l'amico?

4. Rispondere

1. È un ragazzo simpatico, lo invitiamo? — Perché no, se è un ragazzo simpatico, invitiamolo.
2. È un bel film, andiamo a vederlo? ____________
3. È un concerto interessante, andiamo a sentirlo? ____________
4. È a buon mercato, lo compriamo? ____________
5. È un ristorante tipico, ci fermiamo? ____________
6. È una cosa necessaria, la prendiamo? ____________

5. Rispondere

1. Verrai alla nostra festa? — Se potrò, verrò certamente.
2. Rimarrai ancora? ____________
3. Ci sarai anche tu alla conferenza? ____________
4. Mi telefonerai? ____________
5. Mi scriverai? ____________
6. Mi inviterai? ____________

6. Replicare

1. Non si ferma, perché non ha tempo. — Se avesse tempo, si fermerebbe.
2. Non lo compra, perché non è ricco. ____________
3. Non lo dice, perché non lo sa. ____________
4. Non lo dà, perché non ce l'ha. ____________
5. Non lo fa, perché non ha tempo. ____________
6. Non lo porta, perché non lo ritrova. ____________

7. Trasformare

1. Ti presterei i soldi, se avessi ricevuto l'assegno. — Ti presteremmo i soldi, se avessimo ricevuto l'assegno.
2. Starei meglio, se fossi andato subito dal medico. ______
3. Non avrei questi problemi, se ci avessi pensato prima. ______
4. Non sarei in questa situazione, se ti avessi raccontato tutto prima. ______
5. Ti offrirei da bere, se non avessi lasciato il portafoglio a casa. ______
6. Farei un giro in campagna, se avessi portato la macchina. ______

8. Trasformare

1. Se tu studiassi, faresti bene l'esame. — Se tu avessi studiato, avresti fatto bene l'esame.
2. Se tu facessi attenzione, non avresti problemi. ______
3. Se tu mi scrivessi, ti risponderei. ______
4. Se tu me lo chiedessi, farei il possibile per te. ______
5. Se tu mi invitassi, ci verrei. ______
6. Se tu me lo dicessi, sarei felice. ______

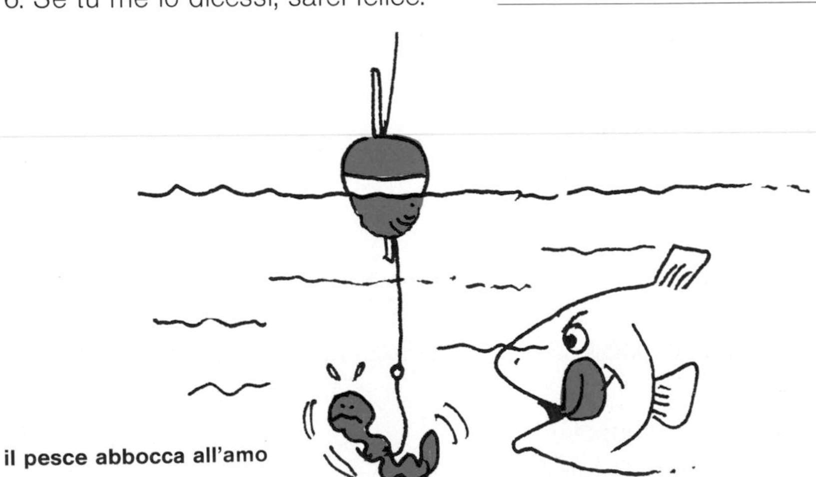

il pesce abbocca all'amo

9. Rispondere

1. Vorresti che Enzo venisse? — Sì, sarei contento, se Enzo venisse.
2. Vorresti che Enzo restasse? ______
3. Vorresti che Enzo tornasse? ______
4. Vorresti che Enzo partisse? ______
5. Vorreste che Enzo prendesse moglie? — Sì, saremmo contenti, se Enzo prendesse moglie.
6. Vorreste che Enzo rimanesse? ______
7. Vorreste che Enzo se ne andasse? ______
8. Vorreste che Enzo se ne occupasse? ______

il cacciatore e la selvaggina

10. Trasformare

1. Devi fare attenzione! — Vorrei che tu facessi attenzione!
2. Devi rimanere ancora! ______
3. Devi rispondere subito a questa lettera! ______
4. Devi andarci subito! ______
5. Non dovete preoccuparvi! — Vorrei che non vi preoccupaste!
6. Non dovete esagerare! ______
7. Non dovete fumare troppo! ______
8. Non dovete discutere di tutto! ______

il cane è in ferma: ha puntato la preda

11. Rispondere

1. Vorresti venire al concerto? — Magari potessi venirci!
2. Vorresti andare a Capri? ______________________
3. Vorresti rimanere ancora qui? ______________________
4. Vorresti essere anche tu con noi? ______________________
5. Vorreste venire anche voi al concerto? — Magari potessimo venirci!
6. Vorreste andare anche voi a pesca? ______________________
7. Vorreste restare ancora in questa città? ______________________
8. Vorreste stare ancora qui? ______________________

12. Rispondere

1. Conosci quella ragazza? — Magari la conoscessi!
2. È tua quella macchina? ______________________
3. Parli già bene l'italiano? ______________________
4. Capisci il telegiornale? ______________________
5. Sai dove sono gli amici? ______________________
6. Hai una bella camera? ______________________

13. Completare (con il periodo ipotetico)

1. Vedrai, se verrai, non ti ______________.
2. Dici sul serio? Se venissi alla curva del ponte, ______________ più fortuna?
3. Se ti deciderai a cambiare posto, ______________ tanto pesce e ______________ pesce per una settimana e lo ______________ anche gli amici.
4. Se vieni, ___________.
5. ___________ qui ogni domenica, se non prendessi pesce?
6. Forse se ci spostassimo più a valle, le cose ______________ meglio.
7. Così tu pensi che se io non ci fossi, tu ______________ qualche pesce?
8. Se tu avessi cambiato posto, anche tu ______________ la tua!

caccia alla rovescia

14. Completare (con il periodo ipotetico)

1. Vedrai, se ___________, non ti pentirai.
2. Dici sul serio? Se ______________ alla curva del ponte, avrei più fortuna?
3. Se ti ______________ a cambiare posto, prenderai tanto pesce.
4. Se ___________, avvertimi.
5. Verrei qui ogni domenica, se non ______________ pesce?
6. Forse se ci ______________ più a valle, le cose andrebbero meglio.
7. Così tu pensi che se io non ci ___________, tu prenderesti qualche pesce?
8. Se tu ______________ posto, anche tu avresti riempito la tua!

15. Completare (con le preposizioni)

1. Enzo e Silvano, vicini ______ casa, sono appassionati ______ pesca.
2. Silvano, anche domani ________ pesca?
3. Voglio ancora provare ______ vecchio molino.
4. Dici ______ serio? Se venissi ______ curva ______ ponte, avrei più fortuna?
5. Se ti deciderai ______ cambiare posto, prenderai tanto pesce.
6. Mangerai pesce ______ una settimana e lo regalerai anche ______ amici.
7. Il giorno dopo i due amici sono ______ riva ______ fiume, ______ curva ______ ponte.
8. Il lunedì mattina, andando ______ lavoro, i due vicini si incontrano.
9. Vorrei che tu mi scusassi ______ ieri.
10. Mi dispiace ______ te. Io ho riempito la mia cesta.

16. Combinare le parti di frase

(Enzo)	1. Voglio ancora provare	avrei più fortuna?
	2. Dici	è il posto buono?
	3. Se venissi alla curva del ponte,	sul serio?
	4. Sono due ore	le cose andrebbero meglio.
	5. Sei sicuro che questo	al vecchio molino.
	6. Forse se ci spostassimo più a valle,	che abbiamo cominciato a pescare.
	7. Se io non ci fossi,	anche tu avresti riempito la tua!
	8. Come è andata	tu prenderesti qualche pesce?
	9. Se tu avessi cambiato posto,	senza la mia presenza?
	10. Mi dispiace	la mia cesta.
	11. Io ho riempito	per te.

17. Combinare le parti di frase

(Silvano)		
	1. Perché non vieni	prenderai tanto pesce.
	2. Se verrai,	avvertimi.
	3. Se ti deciderai,	verrei qui ogni domenica?
	4. Se vieni,	non mi era mai capitata.
	5. Se non prendessi pesce,	dove vado io?
	6. Una sfortuna come oggi	non ti pentirai.
	7. Vorrei che	ti avessi ascoltato!
	8. Magari	tu mi scusassi.

18. Fare la domanda

1. Di che cosa sono appassionati i due vicini? – Di pesca.
2. ________________ ? – Vuole provare al vecchio molino.
3. ________________ ? – Il giorno dopo.
4. ________________ ? – Si ritrovano alla curva del ponte.
5. ________________ ? – Non hanno preso ancora niente.
6. ________________ ? – Silvano ha la sensazione che l'amico porti sfortuna.
7. ________________ ? – Si incontrano il lunedì mattina.
8. ________________ ? – Silvano non ha preso nemmeno un pesce.
9. ________________ ? – Enzo ha riempito la sua cesta.

il richiamo

PERIODO IPOTETICO

1° TIPO O DELLA REALTÀ

Se	**verrai**,	non **ti pentirai**
	vieni con noi,	**siamo contenti**
	dici questo,	**sbagli**
	potranno,	ti **aiuteranno**

Attenzione!
La condizione è certa, reale. La conseguenza è sicura, necessaria.
Talvolta, nella conseguenza si può trovare un imperativo (*Se vieni, **avvertimi***).

2° TIPO O DELLA POSSIBILITÀ

Se	**cambiassi** lavoro,	**guadagnerei** di più
	venissi con te,	**avrei** più fortuna
	prendessi questa medicina,	**ti sentiresti** meglio

Attenzione!
La condizione è dubbia, teorica, ma possibile e anche la conseguenza.

3° TIPO DELLA IMPOSSIBILITÀ O IRREALTÀ

Se	**avessi** le ali,	**volerei**
	fossi ricco,	**farei** il giro del mondo
	conoscessi due lingue,	tutto **sarebbe** più facile
	tu gli **avessi scritto**,	l'**avresti fatto** contento e ora **saresti** soddisfatto
	tu **avessi preso** quella medicina,	**saresti guarito** presto e adesso **potresti** partire con me

Attenzione!
La condizione non è vera e nemmeno la conseguenza.

CONDIZIONALE SEMPLICE + CHE + CONGIUNTIVO

Ora	**vorrei** **desidererei** **mi piacerebbe** **bisognerebbe** **occorrerebbe** **sarebbe** necessario	che	Lei **capisse** bene loro **studiassero** di più tu mi **accompagnassi** a casa voi non **partiste**	(ora)
			lei non **fosse andata** via tu **avessi studiato** di più	(ieri)
	sarebbe bello	andarci di persona		

CONDIZIONALE COMPOSTO + CHE + CONGIUNTIVO

Ieri	**avrei voluto** **avrei desiderato** mi **sarebbe piaciuto** **sarebbe occorso** **sarebbe stato** bello	che	non mi **facesse** quella domanda lei mi **telefonasse**	(ieri)
			loro **avessero invitato** tutti voi **foste arrivate** prima	(l'altro ieri)
	sarebbe stato necessario	ricevere di persona gli ospiti		

MAGARI

Ti piacerebbe fare il giro del mondo?	Magari	**avessi** i soldi per farlo!
È vero / Lo sai che domani sarà vacanza?	Magari	**fosse** vero!
Vuoi che ti accompagni?	Magari	**potessi** accompagnarmi!
È vero che hai smesso di fumare?	Magari	**avessi smesso**!
Siete andati alla festa di Maria?	Magari	ci **avesse invitati**!

LESSICO

1. – *Vi state preparando* per la montagna?
   – Sì, *facciamo i preparativi* per la partenza.
2. – Anche domani a pesca?
   – Sicuro. *Solita ora, solito posto*. E tu, Enzo, che cosa fai?
3. – Che facciamo domani? Come al solito?
   – Sì, ci vediamo alla *stessa ora* e allo *stesso posto*.
4. – *Quasi quasi*... mi fai venire la tentazione.
5. – Perché ti fermi sempre davanti alla pasticceria?
   – Dovrei essere forte, dovrei rispettare la dieta, ma *quasi quasi* entro e mi compro una fetta di quel dolce alla panna.
6. – Ho la sensazione che tu mi *porti sfortuna*.
7. – Lo sai che se un gatto nero ti attraversa la strada mentre tu passi, avrai certamente dei guai?
   – Ma non dire sciocchezze! Io non credo che un gatto nero, che attraversa la strada, *porti sfortuna*.
8. – Se tu avessi cambiato posto, non *saresti rimasto a bocca asciutta*.
   – Già, se ti avessi ascoltato, forse anch'io avrei preso dei pesci.

1. — Mi piacerebbe *giocare a tennis*, ma vorrei prendere delle *lezioni*.
   — Ci sono *molti campi da tennis* qui vicino: troveremo *un maestro*.
2. — *Quali sport* ti piacciono?
   — Mi piace *il calcio, la pallacanestro*, ma io pratico *la pallavolo*.

FUNZIONI / ATTI COMUNICATIVI

FUNZIONI			ATTI COMUNICATIVI
Enfasi sull'atto di asserire qualcosa	– Se venissi alla curva del ponte avrei più fortuna? Dici sul serio?	➡	– Non c'è dubbio. – Sul serio. – Non scherzo. – Davvero. – Ti assicuro.
Delusione, disinganno	– Hai preso molti pesci, sì o no?	➡	– Macché, nemmeno uno! – Purtroppo nemmeno uno! – Non dirmi niente!
Dispiacere	– Peccato! – Peccato che tu non abbia preso niente! – Come mi dispiace che non abbia preso niente! – Come mi dispiace!		

Dettare il testo che segue

A pesca

Enzo e Silvano, due vicini di casa, sono entrambi appassionati di pesca e spesso, per questo, in competizione.

Conoscono luoghi precisi e usano tecniche e mezzi speciali, ma le ultime volte sono state poco fortunate per Enzo. È tornato sempre a mani vuote, o quasi.

Silvano perciò lo invita: – Vieni con me domani! Si prende sempre qualcosa alla curva del ponte. Se verrai, certamente non ti pentirai.

L'appuntamento è per l'indomani, in riva al fiume, alla curva del ponte.

Dopo due ore di attesa, nemmeno un pesce. Nulla; assolutamente nulla!

Enzo comincia a pensare: "Non dovevo cambiare. Forse sarei stato più fortunato se fossi andato al solito posto... Chissà, avrei il cestino pieno se non avessi cambiato le mie abitudini. E se mi spostassi più a valle? Forse troverei qualche pesce..."

E se ne va.

La decisione di Enzo si rivela saggia.

L'indomani comunica con aria di trionfo a Silvano che subito dopo aver cambiato posto, ha riempito la sua cesta.

"Magari fossi andato con lui e non avessi insistito a rimanere in quella sfortunatissima curva del ponte...!" Si lamenta tra sé Silvano.

Ma si dice che pescatori e cacciatori siano grandi bugiardi...

È il caso di credere alla fortunata pesca di Enzo?

19. Leggere attentamente il testo che precede e ripetere a libro chiuso

20. Cosa significa

1. Solita ora, solito posto
2. Essere in competizione con
3. Appassionato di pesca
4. Mi viene la tentazione di
5. Tornare a mani vuote
6. È una saggia decisione
7. Comunicare con aria di trionfo
8. Magari

21. Completare liberamente

1. Enzo e Silvano appassionati di pesca conoscono ______
2. Le ultime volte sono state ______
3. L'appuntamento è ______
4. Dopo due ore di attesa ______
5. Enzo comincia a pensare ______
6. La decisione di Enzo ______
7. L'indomani comunica ______
8. Si dice che pescatori e cacciatori siano ______

pesca alla rovescia

22. Domande personalizzate

1. Lei pratica la pesca o la caccia?
2. Quali sono gli strumenti della pesca e della caccia?
3. Pesca sportiva e pesca industriale nel Suo Paese: ne parli.

23. Per la composizione scritta

1. Pesca e caccia nel Suo Paese.
2. Molti grandi uomini di cultura, di sport, di spettacolo, per meditare, per riposare e distendersi preferiscono la pesca. Perché? E Lei che ne pensa?

19

SANTA LUCIA

(SUL MARE LUCCICA)

Sul mare luccica
l'astro d'argento
placida è l'onda
prospero è il vento.
Venite all'agile
barchetta mia
SANTA LUCIA,
SANTA LUCIA.
Venite all'agile
barchetta mia
SANTA LUCIA,
SANTA LUCIA.

In fra le tende
bandir la cena
in una sera
così serena.
Chi non domanda
chi non desia?
SANTA LUCIA,
SANTA LUCIA.
Chi non domanda
chi non desia?
SANTA LUCIA,
SANTA LUCIA.

O dolce Napoli
o suol beato
ove sorridere
volle il creato.
Tu sei l'impero
dell'armonia
SANTA LUCIA,
SANTA LUCIA.
Tu sei l'impero
dell'armonia
SANTA LUCIA,
SANTA LUCIA.

Con questo zeffiro
così soave
Oh, come è bello
star sulla nave.
Su passeggeri
venite via
SANTA LUCIA,
SANTA LUCIA.
Su passeggeri
venite via
SANTA LUCIA,
SANTA LUCIA.

Mare sì placido
vento sì caro
scordar fa i triboli
al marinaro.
E va gridando
con allegria:
SANTA LUCIA,
SANTA LUCIA.
E va gridando
con allegria
SANTA LUCIA,
SANTA LUCIA.

Or che tardate?
bella è la sera,
spira un'auretta
fresca e leggera.
Venite all'agile
barchetta mia
SANTA LUCIA,
SANTA LUCIA.
Venite all'agile
barchetta mia
SANTA LUCIA,
SANTA LUCIA.

I SINDACATI

I sindacati sono nati in Italia tra la fine dell'800 e i primi del 900 come organizzazioni di ispirazione *rossa* (di sinistra) e organizzazioni di ispirazione *bianca* (cattolico-sociale).

In Italia sono piuttosto funzionali ai partiti (centralità dei partiti nella democrazia rappresentativa italiana). Quindi più partiti e più sindacati (CGIL[1] - CISL[2] - UIL[3] - CISNAL[4]).

Oggi le tendenze corporative della società civile favoriscono il formarsi di sindacati autonomi.

Finché dura la solidarietà antifascista (1944-46) abbiamo l'unità d'azione. Poi dal 1947-48 la diaspora e la perdita conseguente di importanza e di peso.

Particolare dell'opera "IV Stato". G. Pelizza da Volpeda 1901.

Manifestazione sindacale unitaria negli anni '50.

1 - Confederazione Generale Italiana del Lavoro
2 - Confederazione Italiana Sindacati Lavoratori
3 - Unione Italiana del Lavoro
4 - Confederazione Italiana Sindacati Nazionali dei Lavoratori

Soltanto dal 1968, quando il fiorire di movimenti, che scaturiscono direttamente dalla società civile, appanna l'immagine dei partiti, i sindacati, per circa 15 anni, assumono la parte di protagonisti, (anche la quasi piena occupazione li aiuta) e invadono il campo politico con risultati importanti (Statuto dei lavoratori, 150 ore di istruzione regolarmente pagate ogni anno, giusta causa per evitare licenziamenti arbitrari da parte del datore di lavoro) anche se discutibili (appiattimento della qualità del lavoro) e tornano ad operare unitariamente (esclusi il sindacato neofascista CISNAL e gli autonomi).

Le confederazioni sono organizzate in:
– Sindacati di categoria (tessili, chimici, metalmeccanici, ecc.)
– Camere del lavoro,
che operano per i contratti nazionali di categoria e per i contratti aziendali.

L'arma di pressione di cui fanno uso i sindacati è naturalmente lo sciopero nelle forme e negli usi tanto vari quanto previsti ed unanimemente accettati.

I SINDACATI (DAL VIDEOCORSO)

I sindacati sono nati in Italia tra la fine dell'800 e i primi anni del '900, come organizzazioni rosse (di sinistra) o bianche (cattolico-sociali).
Queste sono manifestazioni del 1908. Nelle piazze d'Italia si chiede "pane e lavoro".
Spesso interviene la polizia per reprimere le proteste.
Gli orari e i ritmi di lavoro per operai, donne e giovani sono disumani. Dieci e anche dodici ore al giorno nell'industria e nell'agricoltura.
Siamo nel 1920: il fascismo proibisce ogni forma di organizzazione autonoma e reprime ogni protesta.
Subito dopo la seconda guerra mondiale, caduto il fascismo, i sindacati italiani sono di nuovo uniti.
L'Italia è tutta da ricostruire moralmente ed economicamente. I problemi sono tanti, tutti gravi.
Dal periodo di fame e miseria, con coraggio e dignità, a poco a poco, l'Italia rinasce, sana le sue profonde ferite.
Comincia lo straordinario periodo della ricostruzione. Si riparano le vecchie e si costruiscono nuove strade; nuove linee ferroviarie; ponti; case; nuove linee elettriche per l'illuminazione e per la produzione industriale.
È il primo grande boom economico, uno dei numerosi miracoli italiani: per ogni famiglia il televisore, il frigorifero, la lavatrice, altri elettrodomestici, la lavastoviglie.
E soprattutto, ecco l'automobile per tutti: la FIAT 500 e la FIAT 600. Insieme alla gloriosa Vespa.
Dal 1968 i sindacati, per circa quindici anni, riprendono il ruolo di protagonisti. E per i lavoratori questo è un periodo di risultati importanti: statuto dei lavoratori, 150 ore di istruzione regolarmente pagate, "giusta causa" per evitare licenziamenti senza ragione da parte del datore di lavoro.
C.G.I.L. (Confederazione Generale Italiana del Lavoro), C.I.S.L. (Confederazione Italiana Sindacati Lavoratori), U.I.L. (Unione Italiana del Lavoro), operano uniti per il bene dei lavoratori.

24. Questionario

1. Quando nascono in Italia i sindacati?
2. Quale ne è la natura dal punto di vista ideologico?
3. I sindacati italiani sono assolutamente autonomi o piuttosto funzionali ai partiti?
4. Sa cosa è lo statuto dei lavoratori?
5. Cosa sono le 150 ore?
6. E la giusta causa?
7. Che cosa è lo sciopero?
8. Quali forme di sciopero conosce?

GRADI DELL'AGGETTIVO

il fidanzamento

20

Adalgisa e il suo non più giovane fidanzato.

Anna:
Adalgisa si è fidanzata.

Paola:
No, Anna! Non me lo dire. E con chi?

Anna:
Con Aldo.

Paola:
Cosa mi dici? Con Aldo Epifani?
L'ingegnere?

Anna:
Sì, proprio con lui.

Paola:
Ma non è più giovan*issimo*, o sbaglio?

Anna:
No, non sbagli: ha quasi cinquantacinque anni.

Paola:
Allora Adalgisa è molto *più* giovane *di* lui.

Anna:
Certo. Lei ha ventidue anni *meno di* lui. Aldo potrebbe essere ben*issimo* suo padre.

Paola:
Era molto tempo che lui la corteggiava.

Anna:
E lei non voleva saperne; diceva che non avrebbe mai sposato uno molto *più* vecchio *di* lei.

Paola.
Come si è decisa a fare questo passo?

Anna:
In montagna. Si sono incontrati nello stesso albergo; si sono messi, una sera, a chiacchierare davanti al fuoco del caminetto. In compagnia di una coppa di spumante, lei lo ha trovato *meno* brutto *di* prima e *più* simpatico *di* quanto pensasse: anzi lo ha trovato *molto* interessante. Adesso ne è innamorat*issima*.

Paola:
Per me ha fatto una cattiva scelta; avrebbe potuto aspettare un'occasione *migliore*.

Anna:
Ma che dici?! Anche lei non è più giovan*issima*. Per me è la cosa *migliore* che abbia potuto fare, perché la famiglia di lui sta *molto* bene.

Paola:
Davvero? Io sapevo solamente che lui ha un'*ottima* posizione.

Anna:
Sì, mia cara, gli Epifani sono *ricchi sfondati*.

Paola:
Ah! Ah! Adesso capisco questa decisione *così* improvvisa *quanto* sorprendente. Quando si sposeranno?

Anna:
Prest*issimo*. A maggio del prossimo anno.

20 COMPRENDERE

1. Scelta multipla

1. Adalgisa	☐ si è fidanzata ☐ si è sposata ☐ si è divorziata
2. Aldo non è proprio	☐ vecchissimo ☐ giovanissimo ☐ altissimo
3. Lei ha ventidue anni	☐ come lui ☐ più di lui ☐ meno di lui
4. Aldo potrebbe essere benissimo	☐ suo nonno ☐ suo padre ☐ suo bisnonno
5. Adalgisa diceva che non avrebbe mai sposato un uomo	☐ più giovane di lei ☐ più vecchio di lei ☐ più basso di lei
6. Lei lo ha trovato più simpatico	☐ di quanto pensasse ☐ di quanto temesse ☐ di quanto sperasse
7. Paola sapeva solamente che lui aveva una posizione	☐ buona ☐ ottima ☐ pessima
8. Gli Epifani sono	☐ ricchi sfondati ☐ poveri in canna ☐ benestanti
9. Adesso Paola capisce questa	☐ soluzione ☐ decisione ☐ indecisione
10. Si sposeranno	☐ prestissimo ☐ benissimo ☐ tardissimo
11. Si sposeranno a maggio	☐ del prossimo anno ☐ dello scorso anno ☐ del corrente anno

2. Vero o Falso?

	V	F
1. Adalgisa si è fidanzata.	☐	☐
2. Aldo Epifani è dentista.	☐	☐
3. È molto anziano.	☐	☐
4. Ha cinquant'anni.	☐	☐
5. Adalgisa è più giovane del fidanzato.	☐	☐
6. In compagnia dello spumante l'ha trovato molto interessante e meno brutto.	☐	☐
7. Gli Epifani sono abbastanza ricchi.	☐	☐
8. Aldo e Adalgisa si sposeranno fra qualche anno.	☐	☐

dopo la cerimonia: riso e foto

3. Questionario

1. A chi dice di "sì" la signorina Adalgisa?
2. Quanti anni ha il fidanzato?
3. Quanti anni ha Adalgisa?
4. Da quanto tempo Aldo la corteggiava?
5. Dove si sono incontrati?
6. Cosa avrebbe potuto aspettare Adalgisa?
7. Come sta economicamente la famiglia di lui?
8. Quando si sposeranno i due fidanzati?

4. Replicare

1. Ada e Mara sono belle. — Ma Mara è più bella di Ada.
2. Firenze e Roma sono famose. ______
3. Anna e Paola sono simpatiche. ______
4. Luca e Pino sono studiosi. ______
5. Lei e lui sono innamorati. ______
6. Lei e lui sono ricchi. ______

5. Replicare

1. Ada e Mara non studiano molto. — Ma Ada studia meno di Mara.
2. Ada e Mara non fumano molto. ______
3. Ada e Mara non viaggiano molto. ______
4. Ada e Mara non guadagnano molto. ______
5. Ada e Mara non lavorano molto. ______
6. Ada e Mara non spendono molto. ______

6. Replicare

1. Il mio appartamento è tanto grande quanto il tuo. — No, sbagli, il tuo è più grande del mio.
2. Il mio lavoro è tanto interessante quanto il tuo. ______
3. Il mio vestito è tanto elegante quanto il tuo. ______
4. La mia macchina fotografica è cara quanto la tua. ______
5. La mia casa è comoda quanto la tua. ______
6. La mia macchina è veloce quanto la tua. ______

7. Trasformare

1. Io guadagno più soldi di te. — Io guadagno meno soldi di te.
2. Ada è più giovane della amica. ____________________
3. Il mio lavoro è più bello del tuo. ____________________
4. Mio padre è più vecchio dello zio. ____________________
5. Luigino ha ricevuto più regali dell'amico Pino. ____________________
6. L'aula XX è più grande dell'aula XXII. ____________________

8. Replicare

1. Per me Aldo è ricco e simpatico. — Io penso che sia più ricco che simpatico.
2. Per me questo ragazzo è intelligente e studioso. ____________________
3. Per me questa macchina è comoda e veloce. ____________________
4. Per me questa stanza è accogliente e luminosa. ____________________
5. Per me queste giornate sono lunghe e difficili. ____________________
6. Per me queste esperienze sono utili e interessanti. ____________________

9. Replicare

1. Ho visto film gialli e film western. — Io, invece, ho visto più film gialli che film western.
2. Ho ricevuto cartoline illustrate e lettere. ____________________
3. Ho sempre ascoltato musica sinfonica e musica operistica. ____________________
4. Io conosco studenti stranieri e studenti italiani. ____________________
5. Per il mio compleanno ricevo sempre libri e dolci. ____________________
6. Io frequento sempre musei e mostre. ____________________

10. Rispondere

1. Preferisci viaggiare in treno o in aereo? — Viaggio più volentieri in treno che in aereo.
2. Preferisci studiare di notte o di giorno? ____________
3. Preferisci vivere a Roma o a Milano? ____________
4. Preferisci fare le tue vacanze al mare o al lago? ____________
5. Preferisci andare in vacanza in estate o in inverno? ____________
6. Preferisci mangiare a casa o al ristorante? ____________

11. Rispondere

1. Capire e parlare: che cosa è più facile? — Capire è più facile che parlare.
2. Scrivere e leggere: che cosa è più difficile? ____________
3. Obbedire e comandare: che cosa è più semplice? ____________
4. Regalare e ricevere: che cosa è più bello? ____________
5. Guardare la TV e ascoltare la radio: che cosa è più interessante? ____________
6. Passeggiare e stare in poltrona: che cosa è più salutare? ____________

12. Replicare

1. È un buon vino. — È migliore di quanto credessi.
2. È un buon ragazzo. ____________
3. È un buon film. ____________
4. È una brutta giornata. — È peggiore di quanto temessi.
5. È una brutta situazione. ____________
6. È una brutta esperienza. ____________

13. Replicare

1. Non stavo bene. — Ma oggi stai meglio.
2. Non mi sentivo bene. ______________________
3. Non mi trovavo bene. ______________________
4. Sto male. — Ma prima stavi peggio.
5. Mi sento male. ______________________
6. Mi trovo male. ______________________

14. Rispondere

1. Questa università è famosa? — Sì, è l'università più famosa d'Italia (in Italia).
2. Questo teatro è celebre? ______________________
3. Questo attore è conosciuto? ______________________
4. Questo sport è popolare? ______________________
5. Questo museo è ricco? ______________________
6. Questa fabbrica è grande? ______________________

i fidanzati

15. Replicare

1. Aldo è molto ricco. *(della città)* — È vero, è il più ricco della città.
2. Questo ragazzo è molto giovane. *(della famiglia)* ______
3. Questo studente è molto intelligente. *(della classe)* ______
4. Questi monumenti sono molto conosciuti. *(della Regione)* ______
5. Queste ragazze sono molto carine. *(di tutte)* ______
6. Questi giorni sono molto freddi. *(dell'anno)* ______

16. Trasformare

1. Film - vedere — Questo è il film più interessante che io abbia visto.
2. Libro - leggere ______
3. Viaggio - fare ______
4. Ragazza - conoscere — Questa è la ragazza più bella che io abbia conosciuto.
5. Città - visitare ______
6. Commedia - vedere ______

17. Trasformare

1. Questa è la notizia più bella che tu possa darmi. — Questa è la più bella notizia che tu possa darmi.
2. Questa è la cosa più bella che tu possa dirmi. ______
3. Questa è la cortesia più grande che tu possa farmi. ______
4. Queste sono le più belle ragazze che io conosca. — Queste sono le ragazze più belle che io conosca.
5. Queste sono le più sicure informazioni che io abbia. ______
6. Queste sono le più divertenti barzellette che io sappia. ______

il pranzo di nozze

18. Replicare

1. Aldo è ricco. — Hai ragione, è ricchissimo.
2. È stanco. ____________________
3. È simpatico. ____________________
4. È innamorato. ____________________
5. È elegante. ____________________
6. È noioso. ____________________

19. Replicare

1. Sono simpatici. — È vero, sono simpaticissimi.
2. Sono dolci. ____________________
3. Sono famosi. ____________________
4. Sono brave. ____________________
5. Sono alte. ____________________
6. Sono gelose. ____________________

20. Trasformare

1. È una grande piazza. — È una piazza molto grande.
2. È una simpatica ragazza. ____________________
3. È una bella esperienza. ____________________
4. Sono grandi idee. — Sono idee molto grandi.
5. Sono moderne costruzioni. ____________________
6. Sono belle feste. ____________________

21. Completare (con i comparativi e superlativi)

1. Aldo non è più ____________, o sbaglio?
2. Allora Adalgisa è molto ________ giovane ________ lui.
3. Certo. Lei ha ventidue anni ______ lui. Aldo potrebbe essere ________ ____ suo padre.
4. Adalgisa diceva che non avrebbe mai sposato uno molto ________ vecchio ________ lei.
5. In compagnia di una coppa di spumante, lei lo ha trovato ________ brutto ________ prima e ________ simpatico ________ quanto pensasse: anzi lo ha trovato ________ interessante. Adesso ne è ____________.
6. Per me ha fatto una cattiva scelta: avrebbe potuto aspettare un'occasione ____________.
7. Per me è la cosa ____________ che abbia potuto fare, perché la famiglia di lui sta ________ bene.
8. Davvero? Io sapevo solamente che lui ha un'____________ posizione.
9. Gli Epifani sono ricchi ____________.
10. Adesso capisco questa decisione ________ improvvisa ________ sorprendente.
11. Quando si sposeranno? – ____________. A maggio del prossimo anno.

22. Completare (con i pronomi)

1. Adalgisa si è fidanzata. – No! Non ____ ____ dire. E con ____ ?
2. Cosa ____ dici? Con Aldo Epifani? L'ingegnere? – Sì, proprio con ____.
3. Era molto tempo che ____ ____ corteggiava.
4. E ____ non voleva saper ____; diceva che non avrebbe mai sposato ____ molto più vecchio di ____.
5. In compagnia di una coppa di spumante, ____ ____ ha trovato meno brutto di prima; anzi ____ ha trovato molto interessante.
6. Adesso ____ è innamoratissima.
7. Per ____ ha fatto una cattiva scelta.
8. Ma che dici?! Anche ____ non è più giovanissima.
9. Per ____ è la cosa migliore che abbia potuto fare, perché la famiglia di ____ sta molto bene.

23. Completare (con le preposizioni)

1. Adalgisa si è fidanzata. – No, Anna! Non me lo dire. E ______ chi?
2. ______ Aldo Epifani? L'ingegnere?
3. Sì, proprio ______ lui.
4. Allora Adalgisa è molto più giovane ______ lui.
5. Certo. Lei ha ventidue anni meno ______ lui.
6. E lei non voleva saperne; diceva che non avrebbe mai sposato uno molto più vecchio ______ lei.
7. Come si è decisa ______ fare questo passo?
8. ______ montagna. Si sono incontrati ______ stesso albergo.
9. Si sono messi, una sera, ______ chiacchierare davanti ______ fuoco ______ caminetto.
10. ______ compagnia ______ una coppa ______ spumante, lei lo ha trovato meno brutto ____________ prima e più simpatico ______ quanto pensasse.
11. ______ me ha fatto una cattiva scelta.
12. ______ me è la cosa migliore che abbia potuto fare, perché la famiglia ______ lui sta molto bene.
13. Quando si sposeranno? – Prestissimo. ____________ maggio ____________ prossimo anno.

24. Fare la domanda

1. Da chi era corteggiata Adalgisa? – Era corteggiata da un anziano signore.
2. ______________________________? – Adalgisa si è fidanzata.
3. ______________________________? – Con Aldo Epifani.
4. ______________________________? – Aldo Epifani fa l'ingegnere.
5. ______________________________? – Aldo ha quasi cinquantacinque anni.
6. ______________________________? – Potrebbe essere suo padre.
7. ______________________________? – Lei ha trentatré anni.
8. ______________________________? – Si sono incontrati in montagna.
9. ______________________________? – La sua famiglia sta molto bene.
10. ______________________________? – Si sposeranno prestissimo.

SINTESI GRAMMATICALE

GRADI DELL'AGGETTIVO

COMPARATIVO DI UGUAGLIANZA

È	**(tanto)**	gentile intelligente	**quanto**	suo fratello sua sorella
	(così)	studioso	**come**	me

COMPARATIVO DI MAGGIORANZA

Sono	**più**	giovane	**di**	lui
La mia casa è		grande	**della**	tua
Il suo lavoro è		interessante	**del**	mio

COMPARATIVO DI MINORANZA

Perugia è	**meno**	grande	**di**	Roma
È		difficile		quanto tu creda
La mia casa è		comoda	**della**	vostra

Si usa **più...che** o **meno...che** nei seguenti casi:

1) paragone fra due **qualità o aggettivi**

Quella ragazza è	**più**	**simpatica**	**che**	**bella**
La sua casa è		**grande**		**comoda**

2) paragone fra due **quantità o sostantivi**

Ho letto	**più**	**romanzi**	**che**	**novelle**
Qui sembrano esserci		**macchine**		**persone**

3) paragone fra due **azioni o verbi**

È	**più**	facile **obbedire**	**che**	**comandare**
È sicuramente		difficile **scrivere**		**parlare** una lingua

4) paragone fra due **complementi indiretti**, cioè nomi preceduti da preposizione

Viaggio	**più**	volentieri **in aereo**	**che**	**in treno**
Mi piace		mangiare **a casa**		**al ristorante**

5) paragone fra due **avverbi**

Agisce **più istintivamente**	**che**	**razionalmente**
Meglio tardi		**mai**

SUPERLATIVO RELATIVO

È stato **il giorno**	**più** **meno**	**bello della** mia vita
È **lo studente**		**intelligente della** classe
È **il candidato**		**bravo fra** quelli esaminati oggi
È **il film**		**bello che io abbia mai visto**
È **la persona**		**simpatica che io conosca**

Attenzione!
A volte l'aggettivo precede il sostantivo; es. *È stato il più bel giorno della mia vita.*

SUPERLATIVO ASSOLUTO

È un signore	gentil**issimo** ricch**issimo**
Sono signori	ricch**issimi** gentil**issimi**
È una signorina	bell**issima** simpat**icissima**
Sono signorine	bell**issime** simpat**icissime**
Arriveremo	prest**issimo** tard**issimo**

È un signore		**gentile** **ricco**
Sono signori	**molto**	**gentili** **ricchi**
È una signorina	**tanto**	**bella** **simpatica**
Sono signorine	**assai**	**belle** **simpatiche**
Arriveremo		**presto** **tardi**

Attenzione!

Il superlativo assoluto si può formare inoltre:

a) con i prefissi: ***arci, stra, ultra, sopra, super*** (*Sono arcicontento. È straricco. Il camion era stracarico. La minestra è stracotta. È ultramoderno. È un prodotto sopraffino. È superfortunato*).
Queste sono forme particolari, utilizzate solo per pochi aggettivi.

b) ripetendo l'aggettivo (*Questo problema è facile facile*).

Notare poi le espressioni: *innamorato cotto, pieno zeppo, ricco sfondato, bagnato fradicio, stanco morto.*

COMPARATIVI E SUPERLATIVI IRREGOLARI

positivo	***comparativo***	***super. relativo***	***super. assoluto***
buono	più buono/ **migliore**	il più buono/ **il migliore**	buonissimo/ **ottimo**
cattivo	più cattivo/ **peggiore**	il più cattivo/ **il peggiore**	**pessimo**
grande	più grande/ **maggiore**	il più grande/ **il maggiore**	**massimo**
piccolo	più piccolo/ **minore**	il più piccolo/ **il minore**	**minimo**
bene	**meglio**	–	**ottimamente** benissimo
male	**peggio**	–	**pessimamente** malissimo
molto	**più**	–	moltissimo
poco	**meno**	–	pochissimo

OCCHIO ALLA LINGUA!

LESSICO

1. Era molto tempo che lui *le girava attorno*
2. – Dove va lei, va lui: l'aspetta all'uscita dalla scuola, la ferma per la strada, vuole ballare solo con lei in discoteca, ...
   – Non continuare, ho capito; lui ha una simpatia per lei, *le gira intorno,* le fa la corte.
3. – Cosa *vuoi farci? Al cuore non si comanda*
   – È vero, non possiamo prendere nessun provvedimento, non possiamo cambiare niente, il cuore non ascolta consigli, non accetta ordini, l'amore arriva quando meno l'aspetti.
4. – Come si è decisa a *fare questo passo?*
   – Non so come abbia preso la decisione di sposarsi.
5. Non accetta le sue attenzioni, le sue gentilezze, le sue premure, insomma, *non vuole saperne di lui*

1. – Dove si può arrivare con la macchina?
   – Fino ai *piedi* del *monte*. Poi per arrivare in *cima* c'è *un sentiero* molto stretto.
2. – È *un centro turistico* molto ben attrezzato: ci sono *piste di sci* con *impianti di risalita*, *piste di pattinaggio*, ...
3. – Mi piacerebbe *fare dello sci*, ma *l'attrezzatura* è molto costosa.

FUNZIONI	**ATTI COMUNICATIVI**		
Sorpresa, incredulità	– Adalgisa si è fidanzata.	⇨	– No, non è vero! – È una bugia! – È incredibile! – No, non ci credo! – No, non me lo dire!
Auguri	– Si sposeranno prestissimo.		– Auguri, allora! – Auguri di felicità! – Tanti auguri!
Correggersi	– Adesso non è più brutto,	anzi al contrario invece	lo ha trovato bello.
Chiedere opinioni o giudizi	– Per me ha fatto una cattiva scelta.	Tu che ne pensi? Vorrei sapere cosa ne pensi. Vorrei la tua opinione. Che ne dici?	
Domandare accordo su un fatto	– Per me ha fatto una cattiva scelta. No? Non è vero? – Non credi?		
Parere	– Mi pare che abbia fatto bene. – Per me ha fatto bene. – Secondo me, ha fatto bene.		
Dubbio	– Non so se ha fatto bene. – Non sono sicuro che abbia fatto bene.		

Dettare il testo che segue

Il fidanzamento

Adalgisa, a lungo corteggiata da un anziano signore, si decide finalmente a dire di "sì".

La cosa è tanto più sorprendente, per le comuni amiche Anna e Paola, proprio perché da lunghissimo tempo questo fidanzamento sembrava l'ipotesi meno probabile di tutte.

Lei, Adalgisa, molto più giovane di lui, ha sempre rifiutato le attenzioni di Aldo.

«Non intendo sposare – diceva alle amiche – un uomo che ha ventidue anni più di me e potrebbe benissimo essere mio padre!»

Poi, infine, una vacanza in montagna nello stesso albergo, ha fatto cadere le difese più tenaci.

Lei lo ha trovato meno antipatico di prima e più gradevole di quanto pensasse: anzi lo ha trovato proprio assai interessante.

Ora è innamoratissima; si dichiara più che orgogliosa e sicura di avere fatto la scelta migliore.

«È stato il classico "colpo di fulmine", tanto improvviso quanto sorprendente, quello che ha colto Adalgisa». Sostiene Paola.

Anna non crede al "colpo di fulmine", quanto al fatto che anche Adalgisa non è più giovanissima; Aldo ha un'ottima posizione; la sua famiglia pure sta molto bene tanto sul piano economico come su quello del prestigio. E che più, allora? Prestissimo le nozze e... Viva gli sposi!!!».

25. Leggere attentamente il testo che precede e ripetere a libro chiuso

26. Cosa significa

1. Corteggiare
2. Fidanzarsi
3. Ipotesi poco probabile
4. Rifiutare le attenzioni di qualcuno
5. Colpo di fulmine
6. Innamorarsi
7. Sposarsi

27. Completare liberamente

1. Adalgisa si decide a dire ____________________
2. La cosa è sorprendente perché ____________________
3. Lei ha sempre rifiutato ____________________
4. Poi una vacanza in montagna ____________________
5. Lei lo ha trovato ____________________
6. Ora è innamoratissima e si dichiara ____________________
7. Non è tanto "il colpo di fulmine" quanto ____________________

la partenza per il viaggio di nozze

28. Domande personalizzate

1. Parli del Suo primo innamoramento.
2. Risponde al vero l'espressione italiana: il primo amore non si dimentica mai? Perché?
3. Come, dove, quando si incontrano i giovani nel Suo Paese?

29. Per la composizione scritta

1. "L'amor che muove il mondo e le altre stelle": è un verso di Dante Alighieri, il padre della lingua italiana. Provi a commentarlo.
2. Ricordo benissimo: ero così innamorato/a che non mangiavo più, non dormivo più; vivevo e pensavo solo al mio amore.

VIAGGIO NELL'ITALIA DEI GRANDI VINI

Gli antichi abitanti della penisola italiana erano innamorati della vita e sapevano apprezzare un buon bicchiere.

Vino rosso o vino bianco? Vino giovane o vino invecchiato? Vino amabile oppure secco? Vino di fattoria o di celebre cantina?

Il vino è un complemento essenziale dell'alimentazione italiana, purché, naturalmente, non se ne abusi ed ha precisi caratteri nutritivi e dietetici.

La zona etrusca con i suoi vini più conosciuti.

Un vigneto.

Torgiano (Perugia). Il Museo del vino.

Barili di rovere.

Botti di rovere per l'invecchiamento del vino.

Quando si parla di vino, si intende un prodotto che ha fisionomia e personalità del tutto particolari, che vuole attenzione e rispetto, che, avvicinato ai piatti giusti nei momenti giusti, darà il meglio di se stesso.

È vero: il vino è veramente qualcosa di vivo e di straordinario, assolutamente unico. Il vino, questo ormai è risaputo, non sopporta rumori, vibrazioni, cattivi odori, esalazioni, sbalzi di temperatura, luce troppo forte. Ma prepararlo, curarlo, sistemarlo in modo idoneo, conservarlo e soprattutto, oggi, farne "collezione" come di cosa preziosa, è diventata una passione e una moda...

La preparazione idonea della vigna, preferibilmente posta in collina, la scelta intelligente dei vitigni, la potatura e la cura attenta di ogni vite, la selezione di uve maturate al sole robusto di fine agosto e settembre sono gli elementi che concorrono alla nascita di un "buon vino".

Regalare o ricevere una confezione di vini, che sia suggerita da una accorta scelta personale o dal consiglio di un conoscitore, dà soddisfazione e prestigio.
Sono sempre moltissime in casa le occasioni per far bella figura mettendo in tavola un vino sincero e genuino, che dimostri la competenza e il buon gusto del padrone di casa.

Una bottiglia di vino DOC (Denominazione di origine controllata) e nello sfondo la riproduzione di due formelle ("La vendemmia") della Fontana Maggiore (Perugia) opera dei fratelli Nicola e Giovanni Pisano (XIII secolo).

Ci sono delle norme abbastanza precise e rigorose da seguire nel momento in cui si propone un vino anziché un altro. Ma non è difficile ricordare i criteri di base:
VINI BIANCHI (sempre freschi o freddi) con antipasti, minestre, pesce;
VINI ROSSI (sempre a temperatura ambiente) con vari tipi di carne o altri piatti;

SPUMANTI o *VINI da DESSERT:* i primi, secchi, si servono anche come aperitivi; in tavola, con crostacei, frutti di mare, piatti di carni bianche delicate; oppure, ancora del tutto fuori pasto, da conversazione; i secondi, dolci, dolci e liquorosi, accompagnano pasticceria in genere.

"L'armonia tra i vini e i cibi segna il passaggio dall'artigianato all'arte, dal mestiere all'ispirazione" dicono gli esperti e danno questi "comandamenti dell'amatore":

I. Non servire vini bianchi, dolci o alcolici, con carni scure o selvaggina.
II. Non servire vini rossi con crostacei o pesci.
III. Servire i bianchi secchi prima dei rossi.
IV. Servire i leggeri prima dei corposi.
V. Servire i vini freddi prima dei vini riscaldati a temperatura ambiente.
VI. I vini vanno serviti in gradazione crescente.
VII. A ogni piatto il suo vino.
VIII. Servire i vini nella loro miglior stagione.
IX. Tra un vino e l'altro bere un sorso d'acqua.
X. Un gran vino non deve mai esser solo sulla tavola.

VIAGGIO NELL'ITALIA DEI GRANDI VINI (DAL VIDEOCORSO)

Il vigneto. Uva bianca. Uva rossa.
Il vino è qualcosa di vivo e straordinario, assolutamente unico.
Non vuole rumori, cattivi odori, vibrazioni, luce troppo forte.
Vini rossi, sempre a temperatura naturale, con vari tipi di carne.
Prepararlo, curarlo, conservarlo in modo idoneo e, oggi, farne "collezione" come di cosa preziosa, è diventata una passione e una moda.
Ma che sia vino rosso o vino bianco, vino giovane o vino invecchiato, vino amabile oppure secco.
Ecco la festa del vino ai Castelli Romani con la fontana che getta vino.
Qualche altro consiglio: vini bianchi (sempre freschi o freddi) con antipasti, minestra, pesce.
Spumanti secchi si servono come aperitivi o nella conversazione tra amici ed ospiti. Vini da dessert con dolci e, splendidi, con una fantasiosa coppa di gelato.

30. Questionario

1. Come si chiama la pianta che produce il frutto da cui si ricava il vino?
2. Come si chiama il frutto della vite?
3. Come si chiama un insieme di viti?
4. Come si chiama il locale dove si raccolgono, conservano e proteggono i vini?
5. Quali tipi di vini conosce?
6. Quando si consigliano i vini bianchi?
7. E i rossi?
8. Quale è la temperatura ideale per servire un vino?
9. In quali momenti si beve vino?
10. Qual è il Suo rapporto con il vino?

INDICATIVO: PASSATO REMOTO E TRAPASSATO REMOTO

una storia

21

È freddo, fuori nevica. Nonno e nipotino sono nella grande cucina di una villa in campagna, davanti al focolare.

Nipote:
Nonno, che cosa mi racconti oggi?

Nonno:
Oh! Ti racconto una storia di milioni di anni fa. Quando ancora l'uomo non esisteva, c'erano sulla terra animali grandissimi: i dinosauri. Essi *dominarono* il mondo per cento milioni di anni e più...

Nipote:
Presero origine dai rettili ed *ebbero* le forme più strane, come il tirannosauro che forse *fu* il più grosso bipede mai esistito...

Nonno:
Basta! Basta! Vedo che sei informatissimo.

Nipote:
Ma sì, nonno, queste cose le conosco: me le racconta la TV.

Nonno:
Capisco. Allora, allora ti racconterò una bella fiaba. C'era una volta un re che aveva tre figlie: una bionda, una bruna e una castana, tutte e tre bellissime e in età da marito. Un giorno *arrivò* al castello un principe...

Nipote:
Bussò alla grande porta e *domandò* di parlare con il re. Uffa! Nonnooo, questa me l'hai raccontata cento volte.

Nonno:
Conoscevi anche questa eh? Adesso apri bene le orecchie: due anni fa io e tua nonna *andammo* a Parigi.

Nipote:
Durante il viaggio di ritorno *incontraste* in treno due distinte persone, un uomo e una donna, che vi *offrirono* del caffè drogato, vi *fecero* addormentare e vi *derubarono*

Nonno:
È difficile accontentarti oggi! Ma ecco, ho trovato. Circa cinquanta anni fa, anno più anno meno non è importante, sono andato a Londra. Che città Londra! Che atmosfera! Vi sono rimasto tre mesi; ma quando l'ho lasciata, un po' del mio cuore è restato ed è ancora là.

COMPRENDERE

1. Scelta multipla

1. È freddo, fuori	☐ piove ☐ nevica ☐ tira vento
2. Nonno e nipotino sono davanti	☐ al focolare ☐ alla TV ☐ alla tavola apparecchiata
3. Il tirannosauro fu il più grande bipede	☐ mai esistito ☐ mai visto ☐ mai incontrato
4. Il nonno racconterà al nipotino una bella	☐ novella ☐ favola ☐ fiaba
5. C'era una volta un re che aveva tre	☐ figli ☐ castelli ☐ figlie
6. Un giorno arrivò al castello	☐ un re ☐ un principe ☐ una regina
7. Bussò	☐ alla finestra ☐ alla porta ☐ al cancello
8. Durante il viaggio di ritorno i nonni incontrarono due	☐ banditi ☐ brave persone ☐ ladri
9. I ladri offrirono ai nonni caffè	☐ corretto ☐ drogato ☐ amaro
10. Quando è partito da Londra un po' del suo cuore è rimasto	☐ laggiù ☐ là ☐ lassù

I Romani

il politico **il soldato**

2. Questionario

1. Dove sono il nonno e il nipotino?
2. Cosa fa il bambino quando è con il nonno?
3. E il nonno come si comporta nei confronti del nipotino?
4. Qual è la prima storia che il nonno prende a narrare?
5. E il bambino perché lo interrompe?
6. Quali sono le prime parole della fiaba?
7. Come si concluse il viaggio a Parigi del nonno e della nonna?
8. Il nonno quando è andato a Londra?
9. Quanto tempo è rimasto a Londra?
10. Come si presenta nelle parole del nonno la città di Londra?

3. Rispondere

1. Chi scoprì la penicillina? *(A. Fleming)* — Fu A. Fleming che scoprì la penicillina.
2. Chi inventò la pila? *(A. Volta)* ____________________
3. Chi scoprì l'America? *(C. Colombo)* ____________________
4. Chi inventò il telegrafo? *(G. Marconi)* ____________________
5. Chi fondò Roma? *(Romolo)* ____________________
6. Chi andò per primo sulla luna? *(N. Armstrong)* ____________________

4. Rispondere

1. Chi furono i primi astronomi? *(i Babilonesi)* — I Babilonesi furono i primi astronomi.
2. Chi furono i primi navigatori? *(i Fenici)* ____________________
3. Chi furono i primi matematici? *(gli Arabi)* ____________________
4. Chi furono i primi astronauti sulla luna? *(gli Americani)* ____________________
5. Chi furono i primi grandi filosofi? *(i Greci)* ____________________
6. Chi furono i primi conquistatori dell'Europa? *(i Romani)* ____________________

5. Trasformare

1. Fui io a riconoscerlo. — Fummo noi a riconoscerlo.
2. Fui io a telefonargli. ____________________
3. Fui io a nasconderlo. ____________________
4. Fosti tu a chiamarlo. — Foste voi a chiamarlo.
5. Fosti tu a scrivergli. ____________________
6. Fosti tu a invitarle. ____________________

6. Replicare

1. L'ultimo romanzo di quello scrittore ha avuto molto successo. — Anche il primo ebbe molto successo.
2. L'ultimo film di quel regista ha avuto molto consenso. ______________________
3. L'ultima commedia di quell'autore ha avuto una grande fortuna. ______________________
4. Gli ultimi concerti di quel maestro hanno avuto molto successo. — Anche i primi ebbero molto successo.
5. Le ultime mostre di quel pittore hanno avuto molti visitatori. ______________________
6. Le ultime rappresentazioni di quell'opera hanno avuto molto pubblico. ______________________

7. Replicare

1. Quella volta arrivai in ritardo. — Davvero arrivasti in ritardo?
2. Quella volta andai da solo. ______________________
3. Quella volta ritornai indietro. ______________________
4. Quella volta arrivammo in ritardo. — Davvero arrivaste in ritardo?
5. Quella volta andammo da soli. ______________________
6. Quella volta ritornammo indietro. ______________________

8. Rispondere

1. Ricevesti il telegramma il giorno stesso? — Sì, lo ricevei il giorno stesso.
2. Ricevesti l'avviso il giorno stesso? ______________________
3. Ricevesti il regalo il giorno stesso? ______________________
4. Poteste ottenerlo il giorno stesso? — No, potemmo ottenerlo l'indomani.
5. Poteste parlargli il giorno stesso? ______________________
6. Poteste riceverli il giorno stesso? ______________________

9. Rispondere

1. Perché non partisti con loro? — Non partii perché non mi fu possibile.
2. Perché non uscisti con loro? ______
3. Perché non dormisti da loro? ______
4. Perché non finiste il corso? — Non lo finimmo perché non ci fu possibile.
5. Perché non spediste il pacco? ______
6. Perché non apriste un conto in banca? ______

10. Rispondere

1. Chi scrisse quella frase? — La scrissi io.
2. Chi disse quella frase? ______
3. Chi lesse quella notizia? ______
4. Chi prese quella decisione? ______
5. Chi decise quella data? ______
6. Chi nascose quella bottiglia? ______

11. Rispondere

1. Chi lo lesse? — Lo lessero loro.
2. Chi lo vide? ______
3. Chi lo conobbe? ______
4. Chi ci rimase? ______
5. Chi ci venne? ______
6. Chi lo fece? ______

12. Trasformare

1. Visse a lungo in quella città. — Vissero a lungo in quella città.
2. Vinse molto al gioco. ______
3. Perse l'autobus. ______
4. Pianse a lungo. ______
5. Chiuse a chiave. ______
6. Chiese un buon consiglio. ______

13. Completare (con il passato remoto e con l'imperfetto)

1. Quando ancora l'uomo non esisteva, c'erano sulla terra animali grandissimi: i dinosauri. Essi ________________ il mondo per cento milioni di anni e più...

2. ________________ origine dai rettili ed ________________ le forme più strane, come il tirannosauro che forse ________ il più grosso bipede mai esistito...

3. C'era una volta un re, che aveva tre figlie. Un giorno ________________ al castello un principe...– ________________ alla grande porta e ________________ di parlare con il re.

4. Due anni fa io e tua nonna ________________ a Parigi.

5. Durante il viaggio di ritorno ________________ in treno due distinte persone, che vi ________________ del caffè drogato, vi ________________ addormentare e vi ________________.

14. Completare (con i pronomi)

1. Nonno, che cosa ________ racconti oggi?

2. ________ racconto una storia di milioni di anni fa.

3. I dinosauri presero origine dai rettili ed ebbero le forme più strane, come il tirannosauro ________ forse fu il più grosso bipede mai esistito...

4. Ma sì, nonno, queste cose ________ conosco. ____ ____ racconta la TV.

5. Uffa! Nonnooo, questa ________ ________'hai raccontata cento volte.

6. Durante il viaggio di ritorno incontraste in treno due distinte persone, un uomo e una donna, ________ ________ offrirono del caffè drogato, ________ fecero addormentare e ________ derubarono.

7. È difficile accontentar________ oggi!

8. Che città Londra! Che atmosfera! Vi sono rimasto tre mesi; ma quando ________'ho lasciata, un po' del mio cuore è restato ed è ancora là.

15. Completare (con le preposizioni)

1. È freddo, fuori nevica. Nonno e nipotino sono _____ grande cucina _____ una villa _____ campagna, davanti _____ focolare.
2. Ti racconto una storia _____ milioni _____ anni fa.
3. Quando ancora l'uomo non esisteva c'erano _____ terra animali grandissimi: i dinosauri. Essi dominarono il mondo _____ cento milioni _____ anni e più...
4. Presero origine _____ rettili ed ebbero le forme più strane.
5. C'era una volta un re che aveva tre figlie: una bionda, una bruna e una castana, tutte e tre bellissime e _____ età _____ marito. Un giorno arrivò _____ castello un principe...
6. Bussò _____ grande porta e domandò _____ parlare _____ il re.
7. Adesso apri bene le orecchie: due anni fa io e tua nonna andammo _____ Parigi.
8. Durante il viaggio _____ ritorno incontraste _____ treno due distinte persone.
9. Circa cinquanta anni fa, sono andato _____ Londra.
10. Quando l'ho lasciata, un po' _____ mio cuore è restato ed è ancora là.

Leonardo pittore

il cavaliere del sec. XVI

16. Fare la domanda.

1. Che tempo fa? — Fa freddo e nevica.
2. ______________? — Sono nella grande cucina
3. ______________? — Racconta una storia di tanti anni fa.
4. ______________? — Furono i dinosauri.
5. ______________? — Presero origine dai rettili.
6. ______________? — Prova con una fiaba.
7. ______________? — Arrivò un principe.
8. ______________? — Il principe domandò di parlare con il re.
9. ______________? — Due distinte persone li derubarono.

INDICATIVO: PASSATO REMOTO

ANDARE

and-**ai** and-**asti** and-**ò** and-**ammo** and-**aste** and-**arono**	a casa dopo quello spettacolo

TEMERE

tem-**ei (-etti)** tem-**esti** tem-**é (-ette)** tem-**emmo** tem-**este** tem-**erono (-ettero)**	di sbagliare quella volta

PARTIRE

part-**ii** part-**isti** part-**ì** part-**immo** part-**iste** part-**irono**	in aereo per quel viaggio

CAPIRE

cap-**ii** cap-**isti** cap-**ì** cap-**immo** cap-**iste** cap-**irono**	al volo in quell'occasione

VERBI IRREGOLARI

ESSERE

fui **fosti** **fu** **fummo** **foste** **furono**	di turno

FARE

feci **facesti** **fece** **facemmo** **faceste** **fecero**	un'ottima figura all'esame

DIRE

dissi **dicesti** **disse** **dicemmo** **diceste** **dissero**	una cosa saggia

BERE

bevvi **bevesti** **bevve** **bevemmo** **beveste** **bevvero**	molto in quell'occasione

DARE

detti (diedi) **desti** **dette (diede)** **demmo** **deste** **dettero (diedero)**	buoni consigli

STARE

stetti **stesti** **stette** **stemmo** **steste** **stettero**	tutto il giorno in giro

I seguenti verbi sono irregolari per la 1ª e la 3ª persona singolare e la 3ª persona plurale, mentre per le altre persone formano il passato remoto regolarmente (Scrivere: *scrissi,* scriv-esti, *scrisse,* scriv-emmo, *scriv-este, scrissero.* Venire: *venni,* ven-isti, *venne,* ven-immo, ven-iste, *vennero*).

(avere)	**ebb-**		fortuna	
(volere)	**voll-**		rimanere fino alla fine	
(sapere)	**sepp-**		tutta la verità	
(vedere)	**vid-**	**-i**	un bello spettacolo	quel giorno
(venire)	**venn-**		con l'autostop	
(prendere)	**pres-**		la decisione giusta	
(mettere)	**mis-**		tutto in ordine	
(tenere)	**tenn-**		una conferenza	
(conoscere)	**conobb-**		molta gente	quella sera
(rimanere)	**rimas-**		a casa	
(chiedere)	**chies-**		un prestito in banca	
(chiudere)	**chius-**	**-e**	il cane in cucina	
(vivere)	**viss-**		una brutta esperienza	
(rispondere)	**rispos-**		a mezza bocca	quella volta
(scrivere)	**scriss-**		tutto nel diario	
(leggere)	**less-**		a prima vista	
(vincere)	**vins-**		un terno al lotto	
(perdere)	**pers-**		conoscenza	
(rendere)	**res-**		pan per focaccia	in quell'occasione
(piacere)	**piacqu-**	**-ero**	a tutti	
(decidere)	**decis-**		di non fare niente	
(ridere)	**ris-**		a crepapelle	

PASSATO REMOTO		TRAPASSATO REMOTO
Le telefon**ai**	appena	**ebbi ricevuto** la sua lettera.
Se ne and**arono**	quando	**ebbero salutato** tutti.
Che cosa fac**esti**	dopo che	**fosti arrivata** in America?

Uso prevalente del passato remoto

- Azione conclusa, in un passato lontano o vicino, vista oggettivamente e della quale non si considera l'influenza o la relazione col presente.
- È il tempo tipico della narrazione.

FORMAZIONE DELL'AVVERBIO DI MODO

aggettivo	avverbio
(chiar**o**)	Devi parlare chiar**amente**.
(logic**o**)	Ciò è logic**amente** impossibile.
(felic**e**)	L'avventura si è risolta felic**emente**.
(veloc**e**)	Guida troppo veloc**emente**.
(fina**le**)	Sei arrivata, fina**lmente**!
(natura**le**)	Comportati natura**lmente**!
(particola**re**)	È particola**rmente** difficile.
(regola**re**)	L'autobus passa regola**rmente** alle 8.

LESSICO

1. – Nonno, *che cosa mi racconti*?
   – Ti racconto una storia di tanti anni fa.
2. – Ciao, Giulio; *che cosa* mi racconti *di bello*?
   – Non ho niente di nuovo, di interessante da raccontarti.
3. – *È sufficiente* il vino per i tuoi amici?
   – Sì, è sufficiente, *basta*.
4. – Ti *bastano* i soldi per la gita?
   – Sì, sono sufficienti, mi *bastano*.
5. – Posso continuare la spiegazione?
   – No, hai parlato abbastanza, *basta* così.
6. – *Apri bene le orecchie* ! Ascoltami con attenzione!
7. – Conosci questa storia? Sì? Va bene, (ciò) *vuol dire* che te ne racconterò un'altra.
8. – Non trova mai il tempo per scrivermi: (ciò) *vuol dire* che non mi vuol bene!
9. – *Uffa!* Che caldo oggi!!
10. – È un'ora che parla, *uffa* che noia!!

1. — Che cosa ti piace ascoltare o leggere?
   — Da bambino mi piacevano *le favole, le fiabe*; poi da ragazzo mi piacevano *racconti avventurosi* o *fantastici*. Adesso leggo volentieri *romanzi* o *racconti* di autori celebri.
2. — Quando un libro mi piace lo leggo tutto *d'un fiato*
3. — Quale *casa editrice ha pubblicato* questo romanzo?

FUNZIONI — ATTI COMUNICATIVI

Noia	– C'era una volta un re che aveva tre figlie.	⇨	– Uffa! – Che barba! – Basta!
Interrompere la comunicazione	– Basta! – Basta così! – Zitto! – Silenzio!		
Proseguire	– Cosa stavo dicendo? Ah, dicevo di quando... – Allora dicevo di quando... – Dunque dicevo...		

Dettare (tutto o in parte) il testo che segue

Una storia

È freddo, fuori nevica. Nonno e nipotino sono nella grande cucina di una villa in campagna, davanti al focolare.

Il bambino, quando è assieme al nonno, approfitta sempre per fare domande, per chiedergli una storia, per sentire il racconto di straordinarie vicende di tanti anni fa.

Il nonno è sempre paziente e disponibile, lascia il suo giornale o il suo libro e prende a narrare.
"Sai — comincia — tanti e tanti anni fa c'erano sulla terra animali grandissimi: i dinosauri, che dominarono il mondo per millenni".

"Presero origine dai rettili ed ebbero le forme più strane", continua il bambino perfettamente informato dalle sue letture e dalla TV.

Il nonno, allora, prova con un'altra fiaba: "C'era una volta un... re". Sempre un re, naturalmente. E sempre con tre figlie bellissime. E sempre in età da marito. Ma il nipotino conosce anche questa e va avanti da solo: "Un giorno arrivò al castello un principe; bussò alla porta e domandò di parlare con il re...".

È vecchia...

Si cambia argomento allora e si prova con il racconto del viaggio che il nonno e la nonna fecero a Parigi, quando sulla via del ritorno, incontrarono due signori dall'aspetto tanto cortese, i quali offrirono una bevanda drogata, rubando tutto: pacchi, borse e valigie.

Infine, l'immagine di Londra, piena di fascino e di atmosfera nelle parole del nonno, incanta il bambino e lo fa sognare.

17. Leggere attentamente il testo che precede e ripetere a libro chiuso

18. Cosa significa

1. Il bambino approfitta sempre
2. Raccontare straordinarie vicende
3. Il nonno è paziente e disponibile
4. Prendere origine
5. Prova con una fiaba
6. In pieno deserto
7. Sulla via del ritorno
8. Il racconto incanta il bambino

19. Costruire contesti nuovi con le espressioni dell'esercizio 18

20. Completare liberamente

1. Il bambino quando è insieme al nonno ______
2. Il nonno alle domande del bambino ______
3. Tanti e tanti anni fa ______
4. C'era una volta ______
5. Durante l'ultima guerra ______
6. Quando andai a Parigi ______
7. Quando fui a Londra ______

21. Domande personalizzate

1. La fiaba che Lei preferiva.
2. I bambini nel Suo Paese ascoltano ancora volentieri i racconti degli anziani o preferiscono la TV? Perché?
3. Quali celebri scrittori di fiabe conosce?

22. Per la composizione scritta

1. Una fiaba molto conosciuta nel Suo Paese.
2. C'era una volta... *(continui Lei)*.

ITALIA: CENTO ANNI DI STORIA

Unità politica

L'Italia è arrivata tardi all'indipendenza (dall'Impero d'Austria) ed all'unità politico-territoriale.

Roma è la sua capitale dal 1870.

La sua forma di governo è la Monarchia Costituzionale (Savoia).

La sua classe politica è liberale.

Le elezioni sono di regola quinquennali. Il suffragio ristretto (fino al 1946) in base al censo e all'istruzione.

Evoluzione economica

La ritardata unità politica ha causato anche un ritardo sull'evoluzione economica. La rivoluzione industriale incominciò dopo il 1880 per l'industria di base e attorno al 1900 per l'industria pesante (l'industria leggera è vitale ben prima). Con la rivoluzione industriale si inizia anche l'industrializzazione dell'agricoltura.

Giuseppe Garibaldi.

Una delle prime fabbriche.

Alcune immagini della 1ª Guerra Mondiale sul fronte italiano.

Squilibri tra nord e sud

Ma sia la rivoluzione industriale, sia la industrializzazione dell'agricoltura interessano il Nord ricco di acqua e pianura e non il Centro e soprattutto il Sud. Quindi il Sud rimane fermo ad una agricoltura vecchia e di sfruttamento, per cui milioni di contadini poveri emigrano nelle Americhe (l'emigrazione forma una delle maggiori fonti di ricchezza per l'Italia).

Nascita dei sindacati e dei partiti politici

Nel Nord invece la rivoluzione industriale produce il movimento operaio e contadino che in Italia ha due volti contrastanti: quello *socialista* e quello *cattolico-sociale* (nascono tra la fine dell'800 e i primi del '900 le *organizzazioni sindacali* rosse e bianche ed il *Partito Socialista Italiano,* Genova 1892, mentre il mondo cattolico comincerà ad esprimersi anche politicamente soltanto dopo la Prima Guerra Mondiale).

I[a] Guerra Mondiale

La guerra (1915-18), combattuta a fianco di Inghilterra, Francia, Russia, Stati Uniti, sarà il momento decisivo della storia dell'Italia unita per il colossale sforzo umano, economico, finanziario e per la mobilitazione globale della popolazione.

Si delinea anche in Italia la civiltà di massa.

L'individualismo liberale tramonta e emergono i socialisti e i cattolici (il Partito Popolare Italiano, nato nel 1919).

Nel 1919-20 i primi, i socialisti, sembrano destinati a prendere il potere sullo slancio dell'onda rossa che pare diffondersi in tutta l'Europa.

Avvento del Fascismo

Ma l'onda rossa nel '20 è ormai in riflusso dovunque, per cui la speranza rivoluzionaria, o il pericolo rivoluzionario, svanisce, lasciando però nel ceto medio, nei proprietari terrieri di alcune regioni e nel movimento nazionalista un misto di rancore e rabbia che alimenta la vittoriosa reazione fascista che si esprime con la violenza organizzata delle sue "squadre" e delle sue "marce".

Né liberali, né cattolici, faticosamente collaboranti nei giorni postbellici, sono in grado di fermarla, dal momento in cui le istituzioni (monarchia, esercito, burocrazia) incominciano a fiancheggiarla.

L'ingresso dei fascisti a Roma.

Nell'ottobre del '22 il re chiama al potere Benito Mussolini e inizia così per l'Italia il ventennio del regime fascista, da una parte, ed il ventennio della resistenza antifascista (comunisti, socialisti, cattolici, liberal-radicali e liberal-moderati) dall'altra.

Il re Vittorio Emanuele III accoglie a Roma Benito Mussolini e lo incarica di formare un nuovo governo.

Il Fascismo

Il regime fascista si caratterizza come regime autoritario, poliziesco e paternalista insieme, tendenzialmente autarchico in economia, deciso in politica estera a immettere, anche con la forza, l'Italia fra le grandi potenze europee.

Realizza, attraverso il P.N.F. (Partito Nazionale Fascista) e la sua milizia, nonché il controllo attento degli strumenti di comunicazione di massa (cinema, radio, giornali, teatro, scuola) una integrazione sociale mai conosciuta prima in Italia.

Di tale integrazione la spina dorsale sono il ceto medio in città e i contadini in campagna.

La conquista dell'Etiopia e la partecipazione alla guerra civile di Spagna, possono, per un poco, dare l'illusione ai capi fascisti di possedere un'efficace forza militare per impegni e scontri, a fianco della Germania, assai più temibili e decisivi.

II^a^ Guerra Mondiale

Si va così rapidamente verso la tragedia della Seconda Guerra Mondiale dalla quale l'Italia uscirà completamente distrutta, moralmente e materialmente.

La ricostruzione

Nel dopoguerra, l'Italia si dà una Costituzione ispirata ad ideali democratico-sociali, raggiunge un rapido sviluppo economico e scolastico-culturale, abbandona ogni idea di grandezza militare, partecipa con vivacità alla vita economica, culturale ed artistica dell'Europa ed in politica estera Governo e Parlamento si orientano in senso nettamente europeistico e atlantico.

ITALIA: CENTO ANNI DI STORIA (DAL VIDEOCORSO)

L'Italia è arrivata solo nel 1860 all'indipendenza e all'unità politico-territoriale.
Roma è la sua capitale dal 1870.
La prima forma istituzionale è la monarchia con i Savoia.
Qui è Porta Pia, a Roma, che rappresenta il momento preciso in cui Roma torna ad essere il centro della vita politica di tutta la Nazione.
Ed ecco i Padri della Patria:
Giuseppe Mazzini, Camillo Benso Conte di Cavour, il Re Vittorio Emanuele Secondo.
Ma la figura più conosciuta anche all'estero è quella del Generale Giuseppe Garibaldi, con la leggendaria spedizione dei Mille.
Qui alcune immagini relative alle sue tante imprese.
Dal 1871, per trenta anni, ci sono in Italia rivolte di popolo e pesanti interventi di polizia. Viene riconosciuto il diritto di sciopero e il suffragio universale.
Ma la rivoluzione industriale e l'industrializzazione dell'agricoltura interessano il Nord, ricco di acque e di terra fertile, non il Centro e tanto meno il Sud.
C'è povertà e fame. E allora i contadini poveri lasciano la loro terra ed emigrano nelle Americhe.
Fuori d'Italia trovano "pane e lavoro". Sono quindici milioni gli italiani che in questo periodo se ne vanno lontano, con il cuore pieno di nostalgia e di speranze.
La Grande Guerra (1915-1918) sarà il momento decisivo della storia dell'Italia, unico per il tremendo sforzo umano, economico e finanziario. Ma la guerra è guerra: cioè distruzione e morte, lacrime e sangue.
Nei contrasti, nelle difficoltà del dopoguerra trova terreno favorevole il Fascismo, con la violenza delle sue squadre e delle sue marce. Nell'ottobre del 1922 il Re chiama al potere Benito Mussolini: iniziano così i venti anni del regime fascista.
Arriva la Seconda Guerra Mondiale.
L'Italia distrutta moralmente e materialmente viene ora liberata dagli Alleati.
Nel dopoguerra (ecco il giovane Re Umberto ed Alcide De Gasperi alle votazioni per scegliere tra monarchia e repubblica), l'Italia si dà una Costituzione ispirata ad ideali democratico-sociali.
Raggiunge un rapido sviluppo economico, scolastico e culturale.
Partecipa attivamente alla vita economica e culturale dell'Europa ed in politica estera Governo e Parlamento si orientano in senso europeistico ed occidentale.

23. Questionario

1. L'Italia quando arriva all'indipendenza?
2. Roma quando diventa capitale d'Italia?
3. Quale è la prima forma di governo dell'Italia Unita?
4. Ogni quanti anni si svolgono le elezioni politiche?
5. Chi ha diritto di voto?
6. L'unificazione politica e territoriale significò anche unificazione economica?
7. In quale periodo si svolsero le massicce emigrazioni di Italiani verso le Americhe?
8. Quando nascono i sindacati e i partiti politici?
9. Con quali nazioni si trova a combattere a fianco l'Italia nella Prima Guerra Mondiale?
10. Quali fatti o fenomeni favoriscono l'avvento del fascismo?
11. Come si caratterizza il regime fascista?
12. Quali sono gli orientamenti che guidano l'Italia dopo la Seconda Guerra Mondiale?

FORMA PASSIVA

scoperta archeologica

22

Una grande necropoli *è stata scoperta* vicino a Roma. Un gruppo di turisti con guida si reca a visitarla. Più tardi, in una sala del museo, la guida spiega.

Guida:
Questa collinetta, di cinquanta metri di diametro per tre di altezza, *è stata costruita* con grosse pietre regolari.

Turista:
Quante sono le sepolture ritrovate?

Guida:
Sono state ritrovate finora undici sepolture che risalgono al nono secolo avanti Cristo.

Turista:
Che cosa si spera di trovare ancora?

Guida:
Non si esclude di trovare al centro del tumulo una grande camera sepolcrale.

Turista:
Su che cosa si basa questa previsione?

Guida:
Il tumulo *viene considerato* dagli esperti un monumento funebre usato come necropoli. È su questa interpretazione che ci si aspetta di trovare una sepoltura centrale.

Turista:
Quando *è stata fatta* la scoperta del monumento?

Guida:
È recentissima. La notizia *è stata data* in occasione di un convegno di archeologia che *si è tenuto* da poco a Roma; il ritrovamento *è stato definito* "la scoperta dell'anno".

Turista:
A chi appartengono le sepolture?

Guida:
Le sepolture appartengono tutte a individui maschi. Dai materiali ritrovati, il tumulo *sarebbe stato costruito* in un arco di tempo molto lungo: dal nono al quinto secolo avanti Cristo.

Turista:
Quando finiranno i lavori di scavo?

Guida:
Al momento, i lavori *sono stati sospesi; saranno ripresi* in primavera.

1. Scelta multipla

1. È stata scoperta, vicino a Roma, una grande	☐ città ☐ necropoli ☐ villa
2. Più tardi, in una sala del museo, la guida	☐ racconta ☐ illustra ☐ spiega
3. Le sepolture finora ritrovate sono	☐ undici ☐ due ☐ moltissime
4. Le sepolture risalgono al	☐ primo secolo avanti Cristo ☐ primo secolo dopo Cristo ☐ nono secolo avanti Cristo
5. La scoperta è	☐ antichissima ☐ recentissima ☐ di alcuni anni fa
6. La notizia è stata data in occasione di	☐ un convegno ☐ un congresso ☐ una tavola rotonda
7. Il ritrovamento è stato definito	☐ la scoperta dell'anno ☐ il successo dell'anno ☐ la sorpresa dell'anno
8. Il tumulo sarebbe stato costruito in un arco di tempo	☐ breve ☐ molto lungo ☐ incerto
9. Al momento, i lavori di scavo sono	☐ ricominciati ☐ sospesi ☐ conclusi
10. I lavori di scavo saranno ripresi in	☐ autunno ☐ inverno ☐ primavera

specchio etrusco di bronzo.
IV sec. a.C.

influenza etrusca in un orecchino d'oro con pendagli

candelabro etrusco,
V sec. a.C.

chimera sopra una moneta argentea etrusca. V/IV sec. a.C.

2. Questionario

1. Che cosa è stato scoperto vicino a Roma?
2. Quante sepolture sono state trovate?
3. Quali sono le dimensioni del tumulo?
4. Cosa potrebbe esserci all'interno del tumulo?
5. In quale occasione è stata data la notizia?
6. Dove si trova il tumulo?
7. In quale periodo potrebbe essere stato costruito?
8. Come sono al momento i lavori di scavo?
9. Da dove è presa la notizia?

3. Trasformare

1. Il vigile controlla il traffico. — Il traffico viene controllato dal vigile.
2. Il commesso aiuta la cliente. ______________________
3. Il padrone di casa mostra la camera. ______________________
4. Il medico ordina la cura. ______________________
5. La guida illustra il monumento. ______________________
6. Il viaggiatore chiama il facchino. ______________________

4. Trasformare

1. Il presidente inaugurerà la fiera. — La fiera sarà inaugurata dal presidente.
2. Il direttore premierà il dipendente più anziano. ______________________
3. Un bravo avvocato difenderà l'imputato. ______________________
4. La polizia scoprirà presto il colpevole. ______________________
5. L'assemblea eleggerà il presidente. ______________________
6. L'idraulico riparerà il bagno. ______________________

5. Trasformare

1. In quel periodo suo padre l'aiutava sempre. — In quel periodo era sempre aiutato da suo padre.
2. In quel periodo i suoi parenti lo ostacolavano sempre. ______________________
3. In quel periodo la polizia lo ricercava. ______________________
4. In quel periodo tutti lo consideravano il migliore. ______________________
5. In quel periodo non tutti lo stimavano. ______________________
6. In quel periodo molti lo invidiavano. ______________________

6. Rispondere

1. Chi ha inventato il telegrafo? *(G. Marconi)* — Il telegrafo è stato inventato da G. Marconi.
2. Chi ha scritto il Decamerone? *(G. Boccaccio)* ______________________
3. Chi ha diretto il concerto? *(L. Maazel)* ______________________
4. Chi ha composto l'Aida? *(G. Verdi)* ______________________
5. Chi ha scritto la Divina Commedia? *(D. Alighieri)* ______________________
6. Chi ha scoperto l'America? *(C. Colombo)* ______________________

7. Trasformare

1. Tu devi accompagnare Luigina. — Luigina deve essere accompagnata da te.
2. Tu devi fare questa ricerca. ______________________
3. Tu devi scrivere la lettera. ______________________
4. Tu devi preparare il pranzo. ______________________
5. Tu devi fare l'operazione. ______________________
6. Tu devi decidere la data. ______________________

8. Trasformare

1. Stasera non si potrà finire questo lavoro. — Stasera questo lavoro non potrà essere finito.
2. Stasera non si potrà concludere l'affare. ______________________
3. Stasera non si potrà completare il programma. ______________________
4. Stasera non si potrà definire il piano di lavoro. ______________________
5. Stasera non si potrà decidere la data. ______________________
6. Stasera non si potrà firmare il contratto. ______________________

9. Trasformare

1. La domanda va battuta a macchina. — La domanda deve essere battuta a macchina.
2. Il problema va studiato a fondo. ______
3. La circostanza va valutata con cura. ______
4. La medicina va presa prima dei pasti. ______
5. Questa spesa va proposta in tempo. ______
6. La crema va preparata a fuoco lento. ______

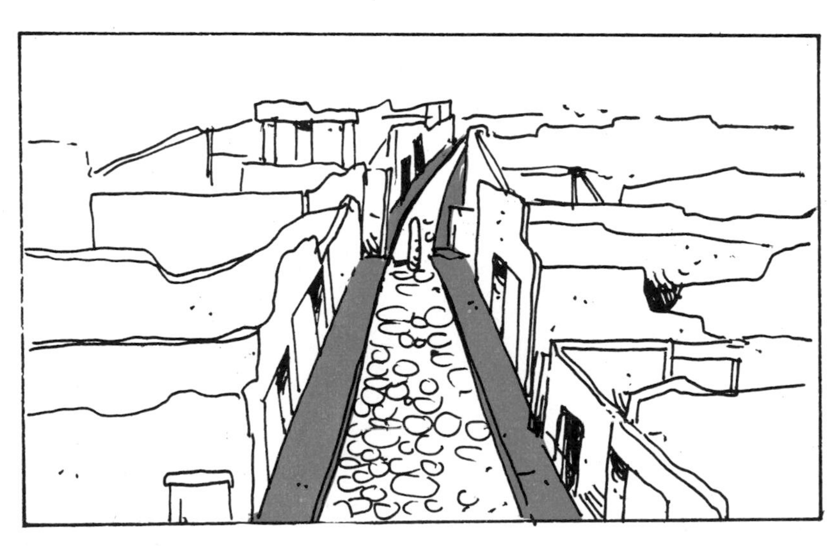

strada romana

10. Trasformare

1. Incredibile, chi te l'ha raccontato? — Incredibile, da chi ti è stato raccontato?
2. Incredibile, chi te l'ha detto? ______
3. Bello, chi te l'ha dato? ______
4. Bello, chi te l'ha fatto? ______
5. Buffo, chi te l'ha regalato? ______
6. Strano, chi te l'ha consigliato? ______

11. Trasformare

1. Simpatiche quelle ragazze, chi ve le ha presentate? — Simpatiche quelle ragazze, da chi vi sono state presentate?
2. Stupende quelle cartoline, chi ve le ha spedite? ____________
3. Eccellenti quelle fotografie, chi ve le ha fatte? ____________
4. Ottimi questi appunti, chi ve li ha passati? ____________
5. Splendidi questi fiori, chi ve li ha regalati? ____________
6. Interessanti questi dati, chi ve li ha forniti? ____________

12. Rispondere

1. Chi l'ha invitato? — Non lo so, ma credo che non sia stato invitato da nessuno.
2. Chi l'ha riconosciuto? ____________
3. Chi l'ha incaricato? ____________
4. Chi l'ha aiutato? ____________
5. Chi l'ha consigliato? ____________
6. Chi l'ha visto? ____________

13. Trasformare

1. Vorrei che me lo ripetessi tu. — Vorrei che mi fosse ripetuto da te.
2. Vorrei che me la consegnassi tu. ____________
3. Mi piacerebbe che me la presentassi tu. ____________
4. Mi piacerebbe che me li regalassi tu. ____________
5. Era meglio che me la cantassi tu. ____________
6. Era meglio che me le suggerissi tu. ____________

14. Completare (con le preposizioni)

1. Una grande necropoli è stata scoperta vicino ________ Roma. Un gruppo ________ turisti ______ guida si reca ________ visitarla. Più tardi, ________ una sala ________ museo, la guida spiega.
2. Questa collinetta, ________ cinquanta metri ________ diametro ________ tre ________ altezza, è stata costruita ________ grosse pietre regolari.
3. Sono state ritrovate finora undici sepolture che risalgono ________ nono secolo avanti Cristo.
4. Che cosa si spera ________ trovare ancora?
5. Non si esclude ________ trovare ________centro ________tumulo una grande camera sepolcrale.
6. Il tumulo viene considerato ________ esperti un monumento funebre usato come necropoli. È ________ questa interpretazione che ci si aspetta ________ trovare una sepoltura centrale.
7. Quando è stata fatta la scoperta ________ monumento?
8. È recentissima. La notizia è stata data ________ occasione ________ un convegno ________ archeologia che si è tenuto ________ poco ________ Roma; il ritrovamento è stato definito "la scoperta ________'anno".
9. ________ chi appartengono le sepolture?
10. Le sepolture appartengono tutte ________ individui maschi. ________ materiali ritrovati, il tumulo sarebbe stato costruito ________ un arco ________ tempo molto lungo: ________ nono ________ quinto secolo avanti Cristo.
11. Quando finiranno i lavori ________ scavo?
12. ________momento, i lavori sono stati sospesi; saranno ripresi ________ primavera.

acquedotto romano

15. Completare (con le forme verbali)

1. Una grande necropoli ______________________ vicino a Roma.
2. Questa collinetta, di cinquanta metri di diametro per tre di altezza, ______________________ con grosse pietre regolari.
3. ______________________ finora undici sepolture.
4. Che cosa ______________________ di trovare ancora?
5. Non ______________________ di trovare al centro del tumulo una grande camera sepolcrale.
6. Su che cosa ______________________ questa previsione?
7. Il tumulo ______________________ dagli esperti un monumento funebre usato come necropoli.
8. È su questa interpretazione che ci ______________________ di trovare una sepoltura centrale.
9. La notizia ______________________ in occasione di un convegno di archeologia che ______________________ da poco a Roma.
10. Il ritrovamento ______________________ la "scoperta dell'anno".
11. Il tumulo ______________________ in un arco di tempo molto lungo.
12. Al momento, i lavori ______________________; ______________________ in primavera.

16. Fare la domanda

1. Che cosa è stato scoperto? — Una grande necropoli.
2. ______________________? — Vicino a Roma.
3. ______________________? — È di cinquanta metri.
4. ______________________? — È di tre metri.
5. ______________________? — Sono state ritrovate undici sepolture.
6. ______________________? — È stata data in occasione di un convegno di archeologia.
7. ______________________? — La scoperta dell'anno.
8. ______________________? — Appartengono ad individui maschi.
9. ______________________? — Dal nono al quinto secolo avanti Cristo.
10. ______________________? — In primavera.

FORMA PASSIVA

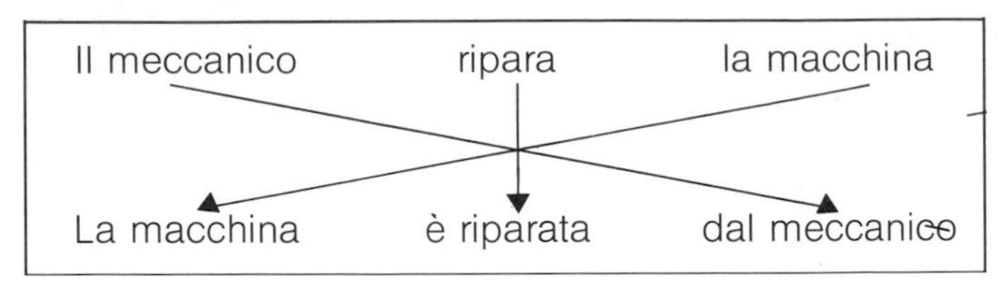

Dalla **forma attiva**

alla **forma passiva**

Dalla FORMA ATTIVA

Soggetto	Verbo	n.	Oggetto
Il professore	spiega	1	una nuova lezione
Il professore	ha spiegato	2	una nuova lezione
Il professore	spiegava	3	una nuova lezione
Il professore	aveva spiegato	4	una nuova lezione
Il professore	spiegò	5	una nuova lezione
Il professore	ebbe spiegato	6	una nuova lezione
Il professore	spiegherà	7	una nuova lezione
Il professore	avrà spiegato	8	una nuova lezione
Il professore	spiegherebbe	9	una nuova lezione
Il professore	avrebbe spiegato	10	una nuova lezione
Penso / Pensavo che il professore	spieghi	11	una nuova lezione
Penso / Pensavo che il professore	abbia spiegato	12	una nuova lezione
Penso / Pensavo che il professore	spiegasse	13	una nuova lezione
Penso / Pensavo che il professore	avesse spiegato	14	una nuova lezione

alla FORMA PASSIVA

Soggetto	Ausiliare	n.	Participio	Complemento d'agente
Una nuova lezione	**è (viene)**	1	**spiegata**	dal professore
Una nuova lezione	**è stata**	2	**spiegata**	dal professore
Una nuova lezione	**era (veniva)**	3	**spiegata**	dal professore
Una nuova lezione	**era stata**	4	**spiegata**	dal professore
Una nuova lezione	**fu (venne)**	5	**spiegata**	dal professore
Una nuova lezione	**fu stata**	6	**spiegata**	dal professore
Una nuova lezione	**sarà (verrà)**	7	**spiegata**	dal professore
Una nuova lezione	**sarà stata**	8	**spiegata**	dal professore
Una nuova lezione	**sarebbe (verrebbe)**	9	**spiegata**	dal professore
Una nuova lezione	**sarebbe stata**	10	**spiegata**	dal professore
Penso / Pensavo che una nuova lezione	**sia (venga)**	11	**spiegata**	dal professore
Penso / Pensavo che una nuova lezione	**sia stata**	12	**spiegata**	dal professore
Penso / Pensavo che una nuova lezione	**fosse (venisse)**	13	**spiegata**	dal professore
Penso / Pensavo che una nuova lezione	**fosse stata**	14	**spiegata**	dal professore

La trasmissione è molto **seguita**.
Il ladro è stato visto fuggire in moto.
Le tue parole sono state apprezzate notevolmente.

Chi	**mi**	ha invitato?
	ti	aiuterà?
	li	ha visti?
	le	avvertirà?
	vi	ospita attualmente?

Da chi	**(io)**	sono stato invitato/a?
	(tu)	sarai aiutato/a?
	(essi)	sono stati visti?
	(esse)	saranno avvertite?
	(voi)	siete ospitati/e attualmente?

Chi	**ve l'**	ha detto?
	ce lo	spiegherà?
	te l'	ha raccontato?

Da chi	**vi**	è stato detto	**(ciò)**?
	ci	sarà spiegato	
	ti	è stato raccontato	

vasi etruschi

Devi	scrivere a macchina	questa lettera.
Dovrai		
Dovresti		

⇨

Questa lettera	**deve essere (va)**	**scritta** a macchina da te.
	dovrà essere (andrà)	
	dovrebbe essere (andrebbe)	

"SI" PASSIVANTE

Si	**accettano** assegni circolari in questo negozio. **comprano** pochi giornali in Italia. **vende** un appartamento in via Verdi n. 13. **dovrebbe invitare** anche Gaia alla festa. **inaugurerà** domani l'anno accademico. **sono viste** cose stranissime in quell'occasione.
Non **si**	**può risolvere** questo problema. **fa** credito.

Attenzione!
Il valore passivo si ottiene anche con il "si" + 3ª persona singolare o plurale ("si" passivante). Es. *Assegni circolari si accettano (**sono accettati**) in questo negozio.*

un castello medioevale

LESSICO

1. Roma fu fondata nel 753 a.C. (avanti Cristo).
2. – Quando conosceremo i risultati delle analisi?
   – Entro domani, ma *non è escluso* che si possano conoscere anche stasera.
3. *Non si esclude* di trovare al centro del tumulo una grande camera sepolcrale.
4. – Che cosa pensano di trovare gli esperti?
   – *Ci si aspetta* di trovare una sepoltura centrale.
5. – Lui sarebbe capace di fare un'azione così riprovevole?
   – Da lui *ci si può aspettare* di tutto.
6. – È tutto quello che si sa per ora?
   – Sì, *al momento* queste sono le sole notizie.

– Quando finiranno i lavori?
– *Al momento*, i lavori sono stati sospesi.

1. – Quali giorni è aperto *il museo*?
   – Si può *visitare* tutti i giorni, mattino e pomeriggio, tranne il venerdì.
2. – Quanto costa *l'ingresso*? C'è uno sconto per studenti o *comitive*?
3. – Vorrei delle cartoline con *la riproduzione* delle opere più significative.

FUNZIONI **ATTI COMUNICATIVI**

Interesse	– Una grande necropoli è stata scoperta vicino a Roma.	– Questo mi interessa molto! – Molto interessante!
Indifferenza		– E con ciò? – Che m'importa? – Non m'importa affatto! – E allora? – Me ne frego. – Me ne infischio! – E a me...?

Dettare il testo che segue

Scoperta archeologica

Una grande necropoli è stata scoperta vicino a Roma. Un gruppo di turisti con guida si reca a visitarla.

Una collinetta, di cinquanta metri di diametro per tre di altezza, 'costruita' con strati di grosse pietre in mezzo alle quali sono state trovate finora undici sepolture risalenti al nono secolo avanti Cristo: sono le caratteristiche più evidenti del più grande monumento funebre a forma di tumulo mai rinvenuto in Italia e sul quale i recenti scavi si sono limitati, per il momento, ad una prima 'scortecciatura' superficiale.

Non è escluso che al centro del tumulo si trovi una grande camera sepolcrale. La notizia è stata data dalla soprintendente archeologica del Lazio al convegno 'Archeologia laziale' tenutosi a Roma.

Il tumulo è stato definito dalla soprintendente la scoperta dell'anno per gli archeologi laziali.

Le undici sepolture appartengono tutte ad individui maschi e, per i materiali rinvenuti finora, il tumulo dovrebbe essere stato costruito in un arco di tempo molto lungo, probabilmente dal nono al quinto secolo avanti Cristo.

Al momento i lavori sono sospesi e riprenderanno in primavera.

17. Leggere attentamente il testo che precede e ripetere a libro chiuso

18. Cosa significa

1. Scoprire
2. Sepolture risalenti al
3. Monumento funebre
4. A forma di tumulo
5. Convegno
6. Arco di tempo
7. I lavori sono sospesi

19. Completare liberamente

1. Vicino a Roma è stata scoperta ______________________________
2. Si tratta di ______________________________
3. È probabile che ______________________________
4. La notizia è stata data ______________________________
5. La cosa è stata definita ______________________________
6. Il monumento dovrebbe essere stato costruito ______________________________
7. Al momento la situazione è ______________________________

Firenze. Palazzo e Loggia della Signoria

20. Domande personalizzate

1. Ci sono testimonianze di antiche civiltà nel Suo Paese? Quali?
2. Quali sono le Sue riflessioni di fronte a segni e resti di civiltà antiche?
3. Il patrimonio archeologico ed artistico nel Suo Paese come viene conservato, protetto, valorizzato?

21. Per la composizione scritta

1. Diario di una visita ad un grande museo.
2. Un momento, un periodo importante nella storia del Suo Paese.

L'ANTICA ROMA (DAL VIDEOCORSO)

Sul Tevere i resti del ponte più antico di Roma ricordano il guado dei pastori e dei mercanti, prima che nascesse la città. Al guado, ancora ben visibile, si incrociavano due antiche vie e a quell'incrocio sarebbe sorta Roma.

Una via veniva dal mare, portava il sale verso le montagne: sarebbe poi stata chiamata la Via Salaria. L'altra via andava dal Nord al Sud: univa le terre degli Etruschi a quelle dei Greci di Cuma e di Napoli.

A poca distanza da quel guado l'Isola Tiberina, isola che scegliamo per un salto nel passato, sull'antica Roma dei Cesari. Quella Roma di cui solo il volo su una ricostruzione ci permette di misurare la vastità di vera metropoli.

Il Colosseo, oggi, scheletro privo di

Roma. Arco di Costantino.

Roma. Foro Romano.

marmi: era così nella Roma dei Cesari.

A ricordarci le colonne del tempio di Venere restano pochi frammenti e cespugli piantati al posto dei marmi.

Il nostro volo continua: dalla Roma ricostruita ai suoi resti di duemila anni dopo.

Sul Palatino, più antichi degli antichi ruderi, sono i resti della Roma dei pastori. Qui sorgevano le capanne di Romolo; nella roccia erano infissi – e ne restano i buchi – pali di sostegno di quelle abitazioni che furono il primo nucleo della città futura.

Ancora sul Palatino. La Domus Augustana: la dimora di Augusto e della sua famiglia, il cui solenne ricordo è affidato alle tavole di pietra dell'Ara Pacis.

Una zona di Roma ove ancora il

Roma. Foro Romano.

Roma. Teatro di Marcello.

verde e le rovine si mescolano e confondono: la Via Appia Antica, dominata dalla tomba-fortilizio medioevale di Cecilia Metella.

Anche qui il silenzio, l'incanto, è già spezzato da tempo. Ed è sempre più in pericolo la sopravvivenza di quest'ultimo luogo di Roma, ove l'antica pietra e le campagne si offrono al visitatore di oggi come nei secoli passati.

Roma. Ruderi.

Roma. Le terme di Caracalla.

22. Questionario

1. Che cosa ricordano i resti del ponte più antico di Roma sul Tevere?
2. Dove sarebbe sorta Roma?
3. Perché una via viene chiamata "Via Salaria"?
4. Come si presenta oggi il Colosseo?
5. Che cosa è l'Isola Tiberina?
6. Che cosa è possibile vedere ancora sul Palatino?
7. Che cosa è la "Domus Augustana"?
8. Come si presenta la "Via Appia"?
9. Lungo la Via Appia c'è una tomba-fortilizio; a chi appartiene?
10. Lei ha visitato Roma, cosa L'ha colpita di più? Se la rivisiterà, che cosa desidera vedere?

DISCORSO DIRETTO/DISCORSO INDIRETTO

in autostrada

23

È un umoristico dialogo presso un casello dell'autostrada Milano-Torino.

Il signor Veneranda si fermò all'ingresso dell'autostrada Milano-Torino.
"Torino," disse al bigliettaio.
Il bigliettaio lo guardò e poi guardò attorno nel piazzale dove non c'era nemmeno un'automobile.
"Ma... ma..." balbettò il bigliettaio, "e la macchina?"
"Che macchina?" domandò il signor Veneranda.
"L'automobile," disse il bigliettaio, "Lei non ha l'automobile."
"Io no," disse il signor Veneranda, "io non ho l'automobile. Perché? Cosa c'è di strano? C'è tanta gente che non ha l'automobile e perché la dovrei avere io?"
"Io... io non so," balbettò il bigliettaio, "ma se vuolè andare a Torino con l'autostrada, dovrà avere un'automobile."

"Io non vado a Torino con l'autostrada," disse il signor Veneranda, "non posso andarci appunto perché non ho l'automobile. E poi cosa dovrei andare a fare a Torino?"
"Non... non so... è Lei che ha detto Torino," rispose il bigliettaio che non sapeva cosa dire.
"Io ho detto Torino, certamente, questo non lo nego. Ma tutti possono dire Torino quando vogliono." disse il signor Veneranda. "Non capisco perché quando uno dice Torino dovrebbe, secondo Lei, andarci in automobile."
"Ma allora Lei, che cosa vuole da me?" chiese il bigliettaio sempre più confuso.
"Io niente." Continuò il signor Veneranda, "ho detto Torino come potevo dire Roma o Genova o un'altra città."
"Se Lei non entra nell'autostrada con l'automobile, mi lasci in pace," concluse il bigliettaio.
"Eh, accidenti!" gridò il signor Veneranda "Adesso dovrò comprarmi un'automobile per far piacere a Lei!"

Liberamente tratto da:
Carlo Manzoni, Il signor Veneranda, "Umoristi del Novecento", Milano Garzanti, pag. 56.

COMPRENDERE

1. Scelta multipla

3. Il signor Veneranda si fermò all'ingresso	☐ di casa ☐ della stazione ☐ dell'autostrada
2. Il bigliettaio guardò	☐ nel piazzale ☐ fuori ☐ l'autostrada
3. Nel piazzale non c'era nemmeno	☐ un cane ☐ un'automobile ☐ una persona
4. – Io non ho l'automobile. Perché? Cosa c'è di	☐ strano? ☐ nuovo? ☐ vero?
5. – Ma se vuole andare a Torino, dovrà avere	☐ l'automobile ☐ il biglietto ☐ la voglia
6. Il bigliettaio non sapeva cosa	☐ pensare ☐ dire ☐ chiedere
7. – Ma allora Lei, cosa vuole da me? Chiese il bigliettaio sempre più	☐ nervoso ☐ confuso ☐ felice
8. – Mi lasci	☐ parlare! ☐ a casa! ☐ in pace!

2. Questionario

1. Dove si fermò il signor Veneranda?
2. Che cosa chiese il signor Veneranda?
3. Quale fu la prima reazione del bigliettaio?
4. Chi domanda un biglietto d'autostrada per Torino, che cosa dovrebbe avere?
5. Il bigliettaio cosa fece notare al signor Veneranda?
6. Perché il signor Veneranda non poteva andare a Torino?
7. Il signor Veneranda cominciava a protestare e cosa diceva?

3. Trasformare

1. Claudio dice sempre: "Io sono sincero." — Claudio dice sempre che lui è sincero.
2. Claudio ripete sempre: "Io voglio studiare medicina." ______
3. Claudio sostiene sempre: "Io devo andare all'estero." ______
4. Grazia dice spesso: "Desidero invitare tutti gli amici." — Grazia dice spesso che desidera invitare tutti gli amici.
5. Grazia ammette spesso: "Non ne sono sicura." ______
6. Grazia risponde spesso: "Non posso farci nulla." ______

4. Trasformare

1. Chiese: "Dove vai?" — Chiese dove andavo.
2. Domandò: "A che ora comincia lo spettacolo?" ______
3. Disse: "Che cosa vuoi?" ______
4. Chiese: "Quale è la strada per la stazione?" ______
5. Domandò: "Quanti figli hai?" ______
6. Chiese: "Perché non aspetti?" ______

5. Trasformare

1. Domandai: "Dove l'hai trovato?" — Domandai dove l'aveva trovato.
2. Chiesi: "A che ora sei partito da casa?" ______
3. Chiesi: "Quanto hai speso?" ______
4. Obiettai: "Non hai capito niente." — Obiettai che non aveva capito niente.
5. Osservai: "Non è stato lui a farlo." ______
6. Pensai: "È diventato matto." ______

6. Rispondere

1. Disse: "La incontrai una volta a Parigi." — Disse che l'aveva incontrata una volta a Parigi.
2. Gridò: "Non fui io il responsabile!" ____________
3. Ripeté: "Non provai nessuna pietà". ____________
4. Esclamò: "Meritai quella punizione!" ____________
5. Negò: "Mai e poi mai pensai una cosa simile!" ____________
6. Brontolò: "Non potei farci niente!" ____________

l'autostrada

7. Trasformare

1. Sostenne: "Sarà lui a decidere." — Sostenne che sarebbe stato lui a decidere.
2. Informò: "Lascerò la direzione alla scadenza del mandato." ____________
3. Prese a dire: "Ve ne accorgerete presto!" ____________
4. Affermò: "Verrò quanto prima." ____________
5. Si lamentò: "Non ne ricaveremo niente!" ____________
6. Suggerì: "Potremo rivolgerci ad un esperto." ____________

8. Trasformare

1. Affermò: "Preferirei parlarci di persona." — Affermò che avrebbe preferito parlarci di persona.
2. Urlò: "Vorrei mandarlo al diavolo." ______
3. Raccomandò: "Non dovresti farlo più!" ______
4. Aggiunse: "Non mi preoccuperei eccessivamente!" ______
5. Consigliò: "Dovrebbe smettere di fumare." ______
6. Scrisse: "Mai prenderei una responsabilità così pesante." ______

9. Trasformare

1. Mi chiese: "Stai partendo?" — Mi chiese se stavo partendo.
2. Mi domandò: "Stai bene?" ______
3. Mi disse: "Vuoi bere qualcosa?" ______
4. Mi chiese: "Sai niente?" ______
5. Mi domandò: "Ti senti bene?" ______
6. Mi disse: "Hai problemi?" ______

10. Trasformare

1. Mi disse: "Prendi nota di tutto!" — Mi disse di prendere nota di tutto.
2. Mi disse: "Dica la verità!" ______
3. Mi disse: "Faccia silenzio!" ______
4. Mi disse: "Resti pure a casa!" ______
5. Mi disse: "Giri a sinistra!" ______
6. Mi disse: "Aiutalo!" ______

11. Trasformare

1. Mi disse: "Aiutami!" — Mi disse di aiutarlo.
2. Mi chiese: "Accompagnami!" ______
3. Mi pregò: "Ascoltami!" ______
4. Mi dissero: "Aiutaci!" — Mi dissero di aiutarli.
5. Mi chiesero: "Accompagnaci!" ______
6. Mi pregarono: "Ascoltaci!" ______

12. Trasformare

1. Mi ripeteva sempre: "Restituiscimelo!" — Mi ripeteva sempre di restituirglielo.
2. Mi ricordava sempre: "Raccontamelo!" ______
3. Insisteva sempre: "Portamelo!" ______
4. Mi chiedeva sempre: "Presentamele!" — Mi chiedeva sempre di presentargliele.
5. Mi ricordava sempre: "Conservamele!" ______
6. Mi pregava sempre: "Mandamele!" ______

13. Trasformare

1. Disse: "Questo non è il mio cappotto!" — Disse che quello non era il suo cappotto.
2. Disse: "Questo non è il mio cappello!" ______
3. Disse: "Questo non è il mio indirizzo!" ______
4. Disse: "Questa non è la mia opinione!" — Disse che quella non era la sua opinione.
5. Disse: "Questa non è la mia valigia!" ______
6. Disse: "Questa non è la mia macchina!" ______

14. Completare (con i verbi)

1. "Torino." ______________ al bigliettaio.
2. "Ma... ma" ______________ il bigliettaio, "e la macchina?"
3. "Che macchina?" ______________ il signor Veneranda.
4. "L'automobile," ______________ il bigliettaio, "Lei non ha l'automobile."
5. "Io no," ______________ il signor Veneranda, "io non ho l'automobile."
6. "Io... io non so," ______________ il bigliettaio, "ma se vuole andare a Torino con l'autostrada, dovrà avere un'automobile."
7. "Non... non so... è Lei che ha detto Torino," ______________ il bigliettaio.
8. "Ma tutti possono dire Torino, quando vogliono," ______________ il signor Veneranda.
9. "Io niente," ______________ il signor Veneranda. "Ho detto Torino come potevo dire Roma o Genova o un'altra città."
10. "Se Lei non entra nell'autostrada con l'automobile, mi lasci in pace," ______________ il bigliettaio.
11. "Eh, accidenti!" ______________ il signor Veneranda "Adesso dovrò comprarmi un'automobile per far piacere a Lei!"

15. Completare (con le preposizioni)

1. Il signor Veneranda si fermò ________'ingresso ________'autostrada Milano-Torino.
2. "Torino," disse ______________ bigliettaio.
3. Il bigliettaio lo guardò e poi guardò attorno ________ piazzale dove non c'era nemmeno un'automobile.
4. "Io non ho l'automobile. Perché? Cosa c'è ________ strano?"
5. "Ma se vuole andare ________ Torino ________ l'autostrada, dovrà avere un'automobile."
6. "Io non vado ________ Torino ________ l'autostrada. E poi cosa dovrei andare ________ fare ________ Torino?"
7. "Ma allora Lei, che cosa vuole ________ me?" Chiese il bigliettaio sempre più confuso.
8. "Se Lei non entra ________'autostrada ________ l'automobile, mi lasci ________ pace."
9. "Eh, accidenti!" gridò il signor Veneranda, "Adesso dovrò comprarmi un'automobile ________ far piacere ________ Lei!"

16. **Completare** (con i pronomi)

1. Il signor Veneranda __________ fermò all'ingresso dell'autostrada Milano-Torino.
2. Il bigliettaio __________ guardò.
3. "L'automobile," disse il bigliettaio, "__________ non ha l'automobile."
4. "__________ no," disse il signor Veneranda, "__________ non ho l'automobile. Perché? Cosa c'è di strano? C'è tanta gente che non ha l'automobile e perché __________ dovrei avere __________?"
5. "__________ ... __________ non so," balbettò il bigliettaio, "ma se vuole andare a Torino con l'autostrada, dovrà avere un'automobile."
6. "__________ ho detto Torino, certamente, questo non __________ nego. Ma tutti possono dire Torino quando vogliono," disse il signor Veneranda. "Non capisco perché quando __________ dice Torino dovrebbe, secondo __________, andarci in automobile."
7. "Ma allora __________, che cosa vuole da __________?" chiese il bigliettaio sempre più confuso.
8. "__________ niente," continuò il signor Veneranda. "Ho detto Torino come potevo dire Roma o Genova o un'altra città."
9. "Se __________ non entra nell'autostrada con l'automobile, __________ lasci in pace," concluse il bigliettaio.
10. "Eh, accidenti!", gridò il signor Veneranda, "Adesso dovrò comprar__________ un'automobile solo per far piacere a __________!"

17. **Fare la domanda**

1. Dove si fermò il signor Veneranda? — Si fermò all'ingresso dell'autostrada.
2. __________? — Chiese un biglietto per Torino.
3. __________? — Nel piazzale non c'era nemmeno un'automobile.
4. __________? — Il signor Veneranda disse: "Torino".
5. __________? — Affermava che tutti possono dire Torino.
6. __________? — No, lui non andava a Torino.
7. __________? — Perché non aveva l'automobile.

Dopo un verbo di dichiarazione, affermazione, promessa e simili, espresso al passato, si hanno i seguenti mutamenti di tempo, e talvolta di modo, nella trasposizione dal discorso diretto al discorso indiretto:

DISCORSO DIRETTO		DISCORSO INDIRETTO
PRESENTE		IMPERFETTO
Egli disse: "Non **posso** farci niente."		Egli disse che non **poteva** farci niente.
PASSATO PROSSIMO		TRAPASSATO PROSSIMO
Dichiarò: "**Ho fatto** il possibile."		Dichiarò che **aveva fatto** il possibile.
PASSATO REMOTO		TRAPASSATO PROSSIMO
Gridò: "Non **fui** io il responsabile."		Gridò che non **era stato** lui il responsabile.
FUTURO SEMPLICE		CONDIZIONALE COMPOSTO
Comunicarono: "**Verremo** appena possibile."		Comunicarono che **sarebbero venuti** appena possibile.
FUTURO SEMPLICE (riferito al futuro)		FUTURO SEMPLICE
Stamattina mi ha promesso: "**Telefonerò** domani."		Stamattina mi ha promesso che **telefonerà** domani.
CONDIZIONALE SEMPLICE		CONDIZIONALE COMPOSTO
Disse: "Non **farei** mai una cosa simile."		Disse che non **avrebbe fatto** mai una cosa simile.

IMPERATIVO		CONGIUNTIVO IMPERFETTO O INFINITO	
Lei implorò: "**Aspetta** e **aiutami**!"		Lei implorò	che **aspettassi** e la **aiutassi**.
			di **aspettare** e di **aiutarla**.

Nel passaggio dal discorso diretto all'indiretto si possono ancora avere mutamenti nelle persone dei *pronomi personali,* negli *aggettivi possessivi e dimostrativi,* negli *avverbi* o *locuzioni avverbiali* di tempo, ecc. Eccone alcuni esempi:

Discorso diretto		Discorso indiretto	
Mi disse:	"L'ho fatto **io**."	Mi disse	che l'aveva fatto **lui**.
	"Resta **qui**."		di restare **lì**.
	"**Mio** figlio studia a Torino."		che **suo** figlio studiava a Torino.
	"Verrò **fra poco**."		che sarebbe venuto **poco dopo**.
Mi **ha detto:** "Posso entrare?"		Mi **ha chiesto se** poteva entrare.	
Mi **disse**: "**Vieni** con **me**!"		Mi **ordinò** di **andare** con **lui**.	

LESSICO

1. – *Che cosa c'è di strano?* C'è tanta gente che non ha l'automobile e perché dovrei averla io?
2. – Mario, ha messo un orecchino?
   – *Che cosa c'è di strano?* Oggi tanti ragazzi lo mettono.
3. – Perché mi guarda così? Le pare che *io abbia la faccia di uno* che dovrebbe avere l'automobile?
4. – Perché non compri quell'impermeabile unisex?
   – *Ho la faccia di uno* che porta l'unisex?
5. – L'aspettiamo davanti alla porta di casa sua?
   – Certo, se vuol tornare a casa *dovrà pur* passare per qui.
6. – *Ti pare bello* avere rifiutato il prestito a Giovanni?
   – Hai ragione, ho fatto male a rifiutarglielo.
7. – E adesso dovrei comprare un'auto per far piacere a Lei? Ma sa che *Lei è un bel tipo?*
8. – Alzati e vai a vedere se è rimasta qualche luce accesa.
   – Secondo te, dovrei alzarmi e fare il giro del castello?
   Ma sai che *sei un bel tipo*? Hai certe pretese!

– È splendido questo panorama, *non ti pare*?
– Sono d'accordo, è veramente incantevole.

1. — Dov'è il cartello che indica l'*ingresso* all'*autostrada*?
2. — Prendiamo *questa uscita*, o la prossima?
3. — Quanto si paga per *il tratto* Firenze-Bologna?
4. — Devi pigiare *quel pulsante*, per ritirare *lo scontrino di pedaggio*.
5. — Ecco lo scontrino, ecco i soldi, ma mi dà *la ricevuta*, per favore?
6. – C'è *un autogrill* a pochi chilometri; *facciamo una sosta* lì per mangiare?

FUNZIONI	ATTI COMUNICATIVI
Chiedere di esplicitare	– Non capisco perché quando uno dice 'Torino' dovrebbe, secondo Lei, andarci in automobile. – Va bene, ma allora Lei, cosa vuole da me? – Cosa vuole dire? – Scusi, non è chiaro. – Vuole essere più chiaro? – Mi faccia capire.

Dettare il testo che segue

In autostrada

Il signor Veneranda si fermò all'ingresso dell'autostrada Milano-Torino. Si avvicinò allo sportello del casello e disse con voce chiara e decisa: "Torino."

Il bigliettaio guardò il signor Veneranda e poi guardò attorno nel piazzale deserto dove non c'era nemmeno un'automobile.

Com'era possibile che un viaggiatore si avvicinasse al casello dell'autostrada senza macchina e chiedesse un biglietto?

"Lei non ha l'automobile!" disse il bigliettaio.

L'affermazione non piacque affatto al signor Veneranda e lo fece notare al suo interlocutore. Era vero, lui non aveva l'automobile, ma c'è tanta gente che non ce l'ha. Perché avrebbe dovuto averla lui?

Il bigliettaio cercò di controllare le sue reazioni e con un certo garbo gli fece notare che se voleva andare a Torino con l'autostrada, avrebbe dovuto avere la macchina.

Il signor Veneranda disse che lui non andava a Torino con l'autostrada e che non poteva andarci proprio perché non aveva la macchina.

Il povero bigliettaio ci capiva sempre meno e, facendo sforzo per non perdere la pazienza, cercava di far intendere a quello strano signore che proprio lui aveva detto 'Torino'. E quando il signor Veneranda protestava affermando che tutti possono dire 'Torino' se lo desiderano e non capiva perché se uno diceva 'Torino', sarebbe dovuto andarci in autostrada, sempre più confuso, ma anche risentito, chiese che cosa voleva da lui.

Il signor Veneranda continuò dicendo che aveva detto 'Torino', come avrebbe potuto dire 'Roma o Genova' o un'altra città, e voltò le spalle al bigliettaio brontolando e ripetendo che mai avrebbe comprato un'automobile per far piacere a quello strano tipo di bigliettaio.

Il bigliettaio, sempre più incredulo, lo seguì a lungo con lo sguardo mentre si allontanava.

18. Leggere attentamente il testo che precede e ripetere a libro chiuso

19. Cosa significa

1. Chiedere con voce chiara e decisa
2. L'affermazione non piacque affatto
3. L'interlocutore
4. Avere la faccia tipica di chi
5. Cercare di controllare le proprie reazioni
6. Non avere nessuna intenzione di
7. Perdere la pazienza
8. Protestare

20. Completare liberamente

1. Chiesi, allora, con voce chiara e decisa________________
2. L'affermazione non________________
3. Il mio interlocutore, a quel punto________________
4. Non aveva la faccia tipica di chi________________
5. Cercò di controllare________________
6. Non avevo nessuna intenzione di________________
7. Mi fece perdere la pazienza________________
8. Cominciò a protestare perché________________

21. Domande personalizzate

1. Le capita con frequenza di incontrare tipi strani, curiosi, eccentrici o comunque fuori della norma? Come si comporta con loro? Quali reazioni Le provocano?
2. Di fronte ad un comportamento poco educato, prepotente, arrogante come reagisce?
3. Provi ad analizzarsi; faccia un Suo profilo psicologico. Come si trova? È contento di sé?

22. Per la composizione scritta

1. Scriva un dialogo serrato tra due persone che bisticciano (due ragazzi, due donne gelose, due ubriachi, due viaggiatori, ecc.).
2. Quel viaggio incredibile in autostrada.

23 ELEMENTI DI CIVILTÀ

ITALIANI NEL MONDO (DAL VIDEOCORSO)

In un secolo, 25 milioni di Italiani hanno lasciato il loro Paese per cercare lavoro, diretti prima verso le Americhe (Stati Uniti, Canada, Argentina), poi verso l'Australia e, infine, verso l'Europa.

Gli ultimi trenta anni dell'800 sono, per l'Italia, un periodo di grave crisi economica.

Intere famiglie partono verso Paesi di cui conoscono solo il nome. "L'America è la nostra terra promessa", scrive a casa il contadino veneto Felice Sartò.

Porto di Napoli. 1890. Emigranti in attesa di imbarco.

Emigrazione e lavoro italiano in Argentina (anni '50).

Emigrazione e lavoro italiano in Australia (anni '50).

Ragioni di carattere economico, storico e sociale sono alla base di questo che appare come un “esodo biblico”.

Gli emigranti partono con grandi speranze. Si dirigono in un primo momento verso il Brasile e l’Argentina. Ecco la giungla brasiliana, il Mato, la foresta calda e umida, terra ideale per le piantagioni di caffè, dove gli Italiani furono chiamati dai fazenderos a partire dal 1890.

E’ il secondo esodo in massa, dopo l’Argentina.

Nel West ci sono i cercatori d’oro, ma si costruiscono soprattutto le grandi ferrovie e gli Italiani sono il nerbo di questo nuovo esercito.

Alcuni emigranti famosi. Qui siamo nel 1920. Caruso, il grande, è un vecchio emigrante e gli italo-americani sono fieri di lui.

Verso quell’epoca un altro italiano, Rodolfo Valentino, diventa l’idolo delle donne americane. E’ l’amante latino, ma per i nostri è un “paesano” che s’è fatto onore.

Al Capone, celebre gangster, il suo regno dura fino al 1931.

Sacco e Vanzetti, condannati a morte per omicidio, ingiustamente, commossero il mondo.

Enrico Fermi, premio Nobel per la Fisica nel ’38, fu, in un certo senso, un emigrante esemplare.

Fiorello La Guardia, il più popolare tra i Sindaci di New York.

Canada: scultura di Francesco Perilli, simbolo dell’emigrante, voluta dalla collettività italiana.

Le enormi distanze di un tempo oggi si riducono a poche ore d’aereo.
Boeing 747/200 B dell’Alitalia. Lunghezza m. 70; altezza m. 19,35; capacità posti 433; velocità di crociera 910 km/h.

Mario Baratella, italo-uruguayano, proprietario della più grande banca del Sud-America.

Francisco Capozzolo, italo-argentino, proprietario di un impero economico e Alberto Greco, italo-brasiliano, latifondista, chiamato il re del vino del Brasile.

Joe Piccirilli, italo-canadese, magistrato.

Australia: su una delle più belle baie del mondo sorge Sydney, la più grande città australiana, porta d'ingresso alla "terra promessa" di tanti immigrati.

Il gruppo industriale Transfield, di proprietà italiana, è specializzato nella costruzione di grandi strutture in acciaio.

Oggi la presenza e il lavoro italiani sono dappertutto accettati e apprezzati.

Un disagevole viaggio che, un tempo, durava settimane, oggi si compie comodamente in poche ore d'aereo. Airbus A 321 dell'Alitalia.

23. Questionario

1. Quanti sono gli Italiani emigrati negli ultimi cento anni?
2. Quali sono i paesi del mondo con maggiore presenza italiana?
3. Per quali ragioni, secondo Lei, una persona decide di lasciare la sua casa, la sua città, la sua patria per emigrare in paesi lontani e sconosciuti?
4. Ci sono Italiani nel Suo Paese e quali sono le loro occupazioni prevalenti?
5. Può spiegare quali sono i problemi che ogni emigrante incontra nel nuovo Paese che lo ospita?
6. Conosce il nome e l'attività di Italiani che all'estero hanno avuto grande successo? (Esempio: Enrico Fermi nella fisica, Arturo Toscanini nella musica).

don abbondio

È la storia di due giovani lombardi, Lorenzo Tramaglino e Lucia Mondella, che vogliono *sposarsi*. Una lunga serie di disgrazie e disavventure allontaneranno questo matrimonio *provocando* grandi sofferenze.
Il parroco del villaggio, Don Abbondio, ha *incontrato*, pochi minuti prima, i "bravi" *mandati* da un prepotente signore, i quali gli hanno *ordinato* di non *celebrare* le nozze, se vuole *salvare* la vita.
(Al rientro a casa)
"Misericordia! cos'ha, signor padrone?"
"Niente, niente," rispose Don Abbondio, *lasciandosi andar* tutto *ansante* sul suo seggiolone.
"Come, niente? Che cosa vorrebbe *farmi credere*, così brutto com'è? Qualcosa di grave è *avvenuto*."
"Oh per amore del cielo! Quando dico niente, o è niente, o è cosa che non posso *dire*."

"Che non può *dire* neppure a me? Chi si prenderà cura della sua salute? Chi le darà un parere?..."
"Ohimè! Tacete e non apparecchiate altro: datemi un bicchiere del mio vino."
"E lei mi vorrà *sostenere* che non ha niente!" disse Perpetua, *riempendo* il bicchiere, e *tenendolo* poi in mano.
"Date qui, date qui," disse Don Abbondio, *prendendole* il bicchiere, con la mano ben ferma, e *vuotandolo* poi in fretta, come se fosse una medicina.
"Vuol dunque che io sia *costretta* a *domandar* qua e là cosa sia *accaduto* al mio padrone?" disse Perpetua, ritta dinanzi a lui, con le mani *rovesciate* sui fianchi, e i gomiti *puntati* davanti, e *guardandolo* fisso.
"Per amor del cielo! non fate pettegolezzi, non fate schiamazzi: ne va... ne va la vita!"
"La vita?!"
"La vita!"

A. Manzoni, I Promessi Sposi, Milano, Mondadori, pag. 26.
Liberamente tratto dal Capitolo primo.

24 COMPRENDERE

1. Scelta multipla

1. Don Abbondio si lasciò andare sul seggiolone	☐ tutto tremante ☐ tutto ansante ☐ tutto sorridente
2. Don Abbondio non poteva rispondere a Perpetua perché	☐ non sapeva niente ☐ non poteva dire niente ☐ non c'era niente di nuovo
3. Qualcosa di grave era	☐ stato detto ☐ avvenuto ☐ stato fatto
4. Don Abbondio voleva che Perpetua non	☐ apparecchiasse altro ☐ dicesse altro ☐ cucinasse altro
5. Perpetua riempì il bicchiere	☐ dandoglielo ☐ mettendolo sul tavolo ☐ tenendolo in mano
6. Don Abbondio chiese da bere	☐ prendendo il bicchiere ☐ allungando la mano ☐ alzandosi dalla poltrona
7. Perpetua parlava stando	☐ seduta accanto a lui ☐ piegata verso di lui ☐ ritta dinanzi a lui
8. Perpetua parlava con le mani	☐ aperte sui fianchi ☐ chiuse sui fianchi ☐ rovesciate sui fianchi
9. Perpetua parlava con	☐ i gomiti puntati ☐ gli occhi puntati ☐ i piedi puntati
10. Perpetua parlava	☐ tremando tutta ☐ guardandolo fisso ☐ osservandolo attenta
11. Don Abbondio scongiurò di non fare	☐ pettegolezzi ☐ maldicenze ☐ chiacchiere
12. Ne andava	☐ della sua salute ☐ della sua sicurezza ☐ della sua vita

la biblioteca

2. Questionario

1. Chi sono i protagonisti dei Promessi Sposi?
2. Perché non possono sposarsi?
3. Chi è Don Abbondio?
4. Chi è Perpetua?
5. Chi sono i "bravi"?
6. Chi impedisce le nozze?
7. Come si presenta Don Abbondio agli occhi di Perpetua al rientro in casa?
8. Cosa fa Perpetua per conoscere il terribile segreto del suo padrone?
9. Che cosa racconta il povero parroco?

3. Trasformare

1. Il fumo fa male alla salute. — Fumare fa male alla salute.
2. Il canto mi piace assai. ______
3. Lo studio è necessario per la vita. ______
4. L'insegnamento è anche apprendimento. ______
5. Il lavoro nobilita l'uomo. ______
6. La lettura è la sua attività preferita. ______

4. Trasformare

1. Lo vedo che parla spesso con una bella ragazzza. — Lo vedo parlare spesso con una bella ragazza.
2. Lo sento che canta le sue canzoni preferite. ______
3. Li vedo che escono tutti alla stessa ora. ______
4. Le sento che litigano con il padrone di casa. ______
5. L'ho visto che si allontanava in fretta. — L'ho visto allontanarsi in fretta.
6. L'ho sentito che si lamentava. ______
7. Li ho visti che si fermavano all'edicola. ______
8. Le ho sentite che si insultavano. ______

5. Trasformare

1. Guardavo Mario mentre preparava le valige. — Guardavo Mario preparare le valige.
2. Osservo la signorina mentre prende appunti. ______
3. Guardavo Mario mentre cucinava. ______
4. Lo sentivo mentre studiava a voce alta. ______
5. Lo vidi mentre si allontanava. ______
6. Vidi Mario mentre stracciava la lettera. ______

lo scrittore

6. Trasformare

1. Mangia e poi esce. – Dopo aver mangiato, esce.
2. Telefoneremo e poi andremo da lui. ______________________
3. Finirò il corso e poi cercherò un lavoro. ______________________
4. Parlerò con i miei e poi prenderò una decisione. ______________________
5. Ricevetti la comunicazione e poi mi misi subito in viaggio. ______________________
6. Ereditò una bella somma e poi comprò un appartamento. ______________________

7. Trasformare

1. Mentre viaggio, mi piace guardare il panorama. – Viaggiando, mi piace guardare il panorama.
2. Mentre parla, muove nervosamente le mani. ______________________
3. Quando lavora, fuma molto. ______________________
4. Quando parla, gesticola sempre. ______________________
5. Ieri, mentre camminava, parlava fra sé e sé. ______________________
6. Ieri sera, mentre guardava la TV, ha saputo quella notizia. ______________________
7. Stamani, mentre faceva la doccia, è scivolato. ______________________
8. Ieri sera, mentre tornavo a casa, ho avuto un brutto incontro. ______________________

8. Trasformare

1. Se continui così, avrai successo. — Continuando così, avrai successo.
2. Se seguiti a maltrattarlo, se ne andrà. ______
3. Se continui a dir bugie, nessuno ti crederà. ______
4. Se prendi questa strada, arrivi prima. ______
5. Se ci vai di persona, è meglio per te. ______
6. Se ci verrai, lo conoscerai di persona. ______
7. Se gli scrivessi, chiariresti molte cose. ______
8. Se tu lo comprassi, faresti un affare. ______

9. Trasformare

1. Poiché avevo perso l'ultimo autobus, tornai a casa a piedi. — Avendo perso l'ultimo autobus, tornai a casa a piedi.
2. Poiché non l'avevo visto, me ne andai. ______
3. Poiché finalmente li avevo rivisti, li invitai a cena da me. ______
4. Poiché avevano finito i lavori, i congressisti si lasciarono. ______
5. Poiché hai terminato i soldi, non ti sarà facile rimanere ancora qui. ______
6. Poiché non ti sei preparato seriamente, in quell'esame troverai parecchie difficoltà. ______
7. Poiché sei passato con il rosso, ti sei preso una multa. ______
8. Poiché siete arrivati in ritardo, non troverete posto facilmente. ______

10. Trasformare

1. Dopo aver preso gli ultimi accordi con i vicini di casa, partii tranquillo per le vacanze. — Presi gli ultimi accordi con i vicini di casa, partii tranquillamente per le vacanze.
2. Dopo averlo preso sotto braccio, lo accompagnai fino alla sua macchina. ______
3. Dopo averle domandato se le servisse altro, uscii dalla stanza. ______
4. Dopo aver riletto la lettera, decisi di non spedirla. ______
5. Dopo aver abbandonato il lavoro, non avevo più un soldo in tasca. ______
6. Dopo aver finito gli studi universitari, non avevo alcun motivo per rimanere in quella città. ______

il bibliotecario

11. Trasformare

1. Prenderò gli ultimi accordi con i vicini di casa e poi partirò tranquillo.
a) dopo che avrò preso gli ultimi accordi con i vicini di casa, partirò tranquillo;
b) dopo aver preso gli ultimi accordi con i vicini di casa, partirò tranquillo;
c) avendo preso gli ultimi accordi con i vicini di casa, partirò tranquillo;
d) presi gli ultimi accordi con i vicini di casa, partirò tranquillo.

2. Lo prenderò sotto braccio e lo accompagnerò alla macchina.
a) dopo che ______
b) dopo ______
c) ______
d) ______

3. Ho riletto la lettera e ho deciso di non spedirla.
a) dopo che ______
b) dopo ______
c) ______
d) ______

4. Gli ho domandato se gli servisse altro e poi sono uscito dalla stanza.
a) dopo che ______
b) dopo ______
c) ______
d) ______

5. Abbandonai il lavoro e non avevo più un soldo in tasca.
a) dopo che ______
b) dopo ______
c) ______
d) ______

6. Finii gli studi universitari e non avevo più alcun motivo per rimanere in quella città.
a) dopo che ______
b) dopo ______
c) ______
d) ______

12. Completare (con i modi indefiniti)

1. È la storia di due giovani lombardi, Lorenzo Tramaglino e Lucia Mondella, che vogliono ________________. Una lunga serie di disgrazie e disavventure allontaneranno questo matrimonio ________________ grandi sofferenze.
2. Il parroco del villaggio, Don Abbondio, ha ________________, pochi minuti prima, i "bravi" ________________ da un prepotente signore, i quali gli hanno ________________ di non ________________ le nozze, se vuole ________________ la vita.
3. "Niente, niente," rispose Don Abbondio, ________________ andare tutto ________________ sul suo seggiolone.
4. "Come niente? Che cosa vorrebbe farmi ________________ così brutto com'è? Qualcosa di grave è ________________."
5. "Oh, per amor del cielo! Quando dico niente, o è niente, o è cosa che non posso ____________."
6. "Che non può ____________ neppure a me? Chi si prenderà cura della sua salute? Chi le darà un parere?"
7. "E lei mi vorrà ________________ che non ha niente!" Disse Perpetua, ________________ il bicchiere, e ________________ poi in mano.
8. "Date qui, date qui," disse Don Abbondio, ________________ il bicchiere, con la mano ben ferma, e ________________ poi in fretta, come se fosse una medicina.
9. "Vuol dunque che io sia ________________ a ____________ qua e là cosa sia ________________ al mio padrone?" disse Perpetua.
10. Disse Perpetua ________________ dinanzi a lui, con le mani ________________ sui fianchi, e i gomiti ________________ davanti e ________________ fisso.

il romanzo autobiografico

13. Completare (con le preposizioni)

1. È la storia ______________ due giovani lombardi, Lorenzo Tramaglino e Lucia Mondella, che vogliono sposarsi
2. Una lunga serie ______________ disgrazie e disavventure allontaneranno questo matrimonio provocando grandi sofferenze.
3. Il parroco ______________ villaggio, Don Abbondio, ha incontrato, pochi minuti prima, i "bravi".
4. I "bravi" sono mandati ______________ un prepotente signore.
5. I "bravi" gli hanno ordinato ______________ non celebrare le nozze, se vuole salvare la vita.
6. "Niente, niente," rispose Don Abbondio, lasciandosi andare tutto ansante ______________ suo seggiolone.
7. "Come niente? Che cosa vorrebbe farmi credere così brutto com'è? Qualcosa ______________grave è avvenuto."
8. "Oh, ______________ amor ______________ cielo! Quando dico niente, o è niente, o è cosa che non posso dire."
9. "Che non può dire neppure ____________ me?"
10. "Chi si prenderà cura ______________ sua salute? Chi le darà un parere?"
11. "Ohimé! Tacete e non apparecchiate altro: datemi un bicchiere ______________ mio vino."
12. "E lei mi vorrà sostenere che non ha niente!" disse Perpetua riempendo il bicchiere, e tenendolo poi ______________ mano.
13. "Date qui, date qui," disse Don Abbondio, prendendole il bicchiere, ______________ la mano ben ferma, e vuotandolo poi ______________ fretta, come se fosse una medicina.
14. "Vuol dunque che io sia costretta ______________ domandar qua e là cosa sia accaduto ______________ mio padrone?"
15. Disse Perpetua, ritta dinanzi ______________ lui, ______________ le mani rovesciate ______________ fianchi, e i gomiti puntati davanti e guardandolo fisso.

14. Fare la domanda

1. Chi è il parroco del villaggio?	— Il parroco del villaggio è Don Abbondio.
2. ________________?	— Ha incontrato i "bravi".
3. ________________?	— Li ha incontrati pochi minuti prima.
4. ________________?	— Gli hanno proibito di celebrare il il matrimonio.
5. ________________?	— Tra Perpetua e lo spaventatissimo Don Abbondio.
6. ________________?	— Domanda che cosa sia successo.
7. ________________?	— Sul suo seggiolone.
8. ________________?	— Qualcosa di grave.
9. ________________?	— Minaccia di uscire subito di casa. per chiedere ad altri la verità.
10. ________________?	— Le impone il silenzio.

MODI INDEFINITI

INFINITO

a) nelle esclamazioni e interrogazioni

Io **restare** qui? Non **poter** partire! Che sfortuna! A chi **rivolgersi**? A chi **telefonare**? Che **dire**? Che **fare** in quella situazione?

b) come imperativo

Non	**parlare** al conducente **toccare** la merce **sporgersi** dal finestrino
Prendere una compressa prima dei pasti **Leggere** attentamente le istruzioni	

c) come vero e proprio sostantivo

Non ho **il piacere** di conoscerla Hai **il dovere** di parlare Non ci comportiamo da **esseri** umani

d) con valore di sostantivo

Questo tuo continuo **parlare** mi stanca **Il viaggiare** e **il vedere** altri Paesi mi dà soddisfazione Non sopporto questo vostro **andare** e **venire**

e) come soggetto

Fumare **Bere** **Lavorare**	troppo	non fa bene alla salute
Fidarsi è bene, non **fidarsi** è meglio		
Le piace		**viaggiare** **leggere**

f) come oggetto

Desidero **rimanere** Non amo **viaggiare** Preferisco **tornare** a casa

g) introdotto da preposizioni

Vado **a** preparare **da** mangiare Cerco **di** stare attento **per** capire meglio Voglio imparare **a** giocare a tennis Oggi non ho voglia **di** studiare Non ho niente **da** rimproverarti Il treno sta **per** partire

h) introdotto da verbi servili o modali

Posso **Dobbiamo** **Vuole** **Sapete** **Desidero**	trovare la strada di casa riparare il motore

INFINITO PASSATO

Si è messa a piangere dopo **essere stata** rimproverata È finito sotto il tavolo dopo **aver bevuto** tre litri di birra Ho avuto un occhio nero per **aver cercato** di dividere i due che litigavano L'ho rovinato per **aver avuto** troppa comprensione e per **essere stato** troppo tenero con lui

Dalla **forma implicita**

Dopo	**aver pranzato,**	prendo	un caffè
	aver pranzato,	prendevo	
	aver pranzato,	prenderò	
	aver pranzato,	presi	
Dopo aver bevuto tre litri di birra, è finito sotto il tavolo			
Ho avuto un'occhio nero, **per aver cercato** di dividerli			
Sentivo i bambini **gridare**			
Penso **di partire** domani			

alla **forma esplicita**

Dopo che	**ho pranzato,**	prendo	un caffè
	avevo pranzato,	prendevo	
	avrò pranzato,	prenderò	
	ebbi pranzato,	presi	
Dopo che aveva bevuto tre litri di birra è finito sotto il tavolo			
Ho avuto un occhio nero, **perché avevo cercato** di dividerli			
Sentivo i bambini **che gridavano**			
Penso **che partirò** domani			

PARTICIPIO PRESENTE

a) come aggettivo

È un ragazzo	**obbediente** **brillante**
È un film **divertente** Sei sempre **sorridente**	

b) come sostantivo

Ho avuto un bravo	**comandante** **assistente** **insegnante**
È una stupenda **cantante** I **dipendenti** della fabbrica sono in sciopero	

c) come verbo

Gli studenti **frequentanti** il corso medio devono presentarsi in segreteria
Questo avviso è per tutti i cantanti **partecipanti** alla selezione
Tutte le famiglie **abitanti** in questo palazzo devono lasciare lo stabile

PARTICIPIO PASSATO

a) come aggettivo

Ho comprato una rivista **illustrata**
Ricordo con nostalgia il tempo **passato**
Le sigarette sono **finite**

b) come sostantivo

L'ammalato non vuole prendere la medicina
Gli invitati non sono ancora arrivati
È **il ritratto** della "Fornarina" di Raffaello
Questi, cari signori, sono **i fatti**

c) come verbo

La casa è **occupata** dai soldati Ho **studiato** l'italiano per due anni Maria è **andata** a ballare **Usciti** di casa, non dissero più una parola fino alla stazione **Partito** lo zio, riprese il lavoro di tutti i giorni

Dalla **forma implicita**	alla **forma esplicita**
Gli studenti **frequentanti** il corso medio, sono in aumento	Gli studenti **che frequentano** il corso medio, sono in aumento
I cantanti **partecipanti** alla selezione erano molti	I cantanti **che parteciparono** alla selezione erano molti
Le famiglie **abitanti** in quella zona, dovettero lasciare le case	Le famiglie **che abitavano** in quella zona dovettero lasciare le case
Uscito di casa, non disse più una parola	**Dopo che fu uscito** di casa, non disse più una parola
Partita la zia, si mise a piangere	**Dopo che fu partita** la zia, si mise a piangere
Preoccupato per il ritardo del figlio, uscì per cercarlo	**Poiché era preoccupato** per il ritardo del figlio, uscì per cercarlo

GERUNDIO PRESENTE

a) come mezzo

Mi guadagno la vita Si è mantenuto agli studi	**lavorando** sodo **facendo** il cameriere
Si impara molto Imparai molto Ho imparato molte cose	**sbagliando** **leggendo** **viaggiando**
Riuscirò ad avere ciò che desidero	**provando** e **riprovando**

b) come modo o maniera

Ho perduto Perderà sempre	un mucchio di soldi	**giocando** a carte
Mi raccontava spesso Mi ha raccontato	le sue avventure	**ridendo** **piangendo**
Arrivò Arriva spesso	in ufficio	**correndo**

c) come coincidenza o simultaneità

Lo	incontrai incontro spesso incontrerò	**uscendo** di casa

Così **dicendo**	se ne andò chiuse la porta

d) come causa

Stando così le cose	non potrò fare l'esame devo subito tornare in patria

Fumando e **bevendo**	si è rovinato si rovinò	la salute

e) come condizione

Facendo così, non risolverai niente **Usando** questo sistema, otterrai un buon risultato

GERUNDIO PASSATO

Avendo ricevuto	un biglietto in omaggio	vado andrò sono andata	a teatro
Essendo arrivati in ritardo		non entrammo	

Dalla **forma implicita**	alla **forma esplicita**
Lo incontro **uscendo** di casa	Lo incontro **quando esco** di casa
Così **dicendo** se ne andò	**Mentre diceva** così se ne andò
Stando così le cose, non potrò fare l'esame	**Poiché** / **Se** le cose **stanno** così, non potrò fare l'esame
Fumando così, ti rovinerai la salute	**Se fumerai** così, ti rovinerai la salute
Avendo perso tempo, non riuscì a prendere il treno	**Poiché aveva perso** tempo, non riuscì a prendere il treno

LESSICO

1. – Da dove comincia questa storia?
   – La storia *prende il via* da un episodio quasi insignificante.
2. – Il potente signore non vuole che il povero parroco celebri il matrimonio di Renzo e Lucia?
   – Sì, per mezzo dei 'bravi' *lo ha diffidato dal* benedire il loro matrimonio.
3. – *Per amor del cielo!* Quando dico niente o è niente o è una cosa che non posso dire.
4. – Stasera riferirò a tuo padre che mi hai rubato dei soldi.
   – *Per amor del cielo,* non dirglielo!

– Ludovico, che fai con l'orecchio alla parete?
– *Taci*, sta zitta, altrimenti non sento quello che dicono i nostri vicini.

1. — Vai in *biblioteca* per *consultare* qualche libro?
   — No, voglio *prendere in prestito* "I Promessi Sposi" di Alessandro Manzoni.
2. — *Questo schedario* è per *argomento* o per *autore*?
3. — Ecco il Suo libro, signorina.
   — Quanti giorni posso *tenerlo*?
4. — Se non lo *restituirà* in tempo, riceverà *un avviso*. Mi raccomando, lo tenga *con cura*. Faccia attenzione a non *sporcarlo* e a non *stracciare le pagine*.

FUNZIONI	ATTI COMUNICATIVI	
Lamentarsi	– Povero me! – Dio mio!	
Domandare l'intenzione dell'interlocutore nel dire qualcosa	– Come niente?	Che cosa vorrebbe farmi credere? Che cosa vuole dire? Dove vuol arrivare?
Supplicare	– Per l'amor del cielo, tacete! – Per l'amor di Dio, tacete!	

Dettare il testo che segue

Don Abbondio

Il parroco del villaggio, Don Abbondio, ha incontrato pochi minuti prima i "bravi" mandati da un prepotente signore, i quali gli hanno proibito di celebrare il matrimonio tra Lorenzo Tramaglino e Lucia Mondella, se vuole salvare la vita.

Il dialogo si svolge tra la vecchia e affezionata domestica Perpetua e lo spaventatissimo Don Abbondio.

Quest'ultimo ansante e tremante di paura entra in casa. Non sfugge a Perpetua il dramma e la tempesta che scuotono il cuore di Don Abbondio e preoccupata domanda cosa sia successo.

Abbandonandosi distrutto sulla sua grande sedia, il povero prete mostra di non volere dire una parola.

Qualcosa di grave è avvenuto; è chiaro. E Perpetua studia come aprire una breccia nel silenzio atterrito di Don Abbondio.

"Io son qui," incalza Perpetua, "per aiutarla, per curare la sua salute, per trovare una via d'uscita."

E intanto, riempendo il bicchiere di vino e porgendolo, minaccia di uscire subito di casa per chiedere in giro notizie dell'accaduto, se non saprà la verità. Dice questo guardando fisso negli occhi il suo padrone e dando a credere di voler fare sul serio.

Il povero parroco, per non aggiungere paura a paura, supplicante la guarda e, quasi piangendo, le impone il silenzio. Il fatto è gravissimo, tanto grave e terrorizzante: c'è la vita in pericolo...

15. Leggere attentamente il testo che precede e ripetere a libro chiuso

16. Cosa significa

1. Parroco del villaggio
2. I "bravi"
3. Celebrare il matrimonio
4. Ansante e tremante di paura
5. Aprire una breccia
6. Trovare una via d'uscita
7. Chiedere in giro notizie
8. Dare a credere di
9. Guardare supplicante
10. Imporre il silenzio

17. Completare liberamente

1. Mi hanno proibito di ______
2. Il dialogo si svolge tra ______
3. Non mi sfugge che ______
4. Qualcosa di grave ______
5. Minaccio di ______
6. Dice questo dando a credere che/di ______
7. Supplicante ci guarda e ci dice ______
8. Il fatto è ______

18. Domande personalizzate

1. I Promessi Sposi sono un capolavoro della letteratura italiana: sa chi ne è l'autore?
2. Conosce altri scrittori italiani? Quali? E di quali periodi?

19. Per la composizione scritta

1. Quale è l'opera letteraria maggiore nella Sua lingua?
2. Può raccontare la trama di un grande romanzo scritto nella Sua lingua?

ESERCIZI DI REIMPIEGO E CONTROLLO AP.42
TEST DI CONTROLLO PERIODICO AP.48

DANTE (DAL VIDEOCORSO)

Dante, il più grande poeta italiano di tutti i tempi.

Nasce a Firenze nel 1265 da una modesta famiglia. Il giovane Dante partecipa al gruppo dei poeti del Dolce Stil Novo, che cantano l'amore idealizzato per la Donna Angelo.

Questa donna, per Dante, è Beatrice che, morta giovanissima, ritorna come immagine ispiratrice in tutte le opere del poeta, anche in quelle della maturità artistica.

Dante partecipa anche alla vita politica della sua città. In quell'epoca a Firenze la vita della città è agitata per i contrasti tra il partito dei Bianchi, al quale Dante appartiene, e quello dei Neri, che vince.

Dante Alighieri.

Divina Commedia. Canto I°.

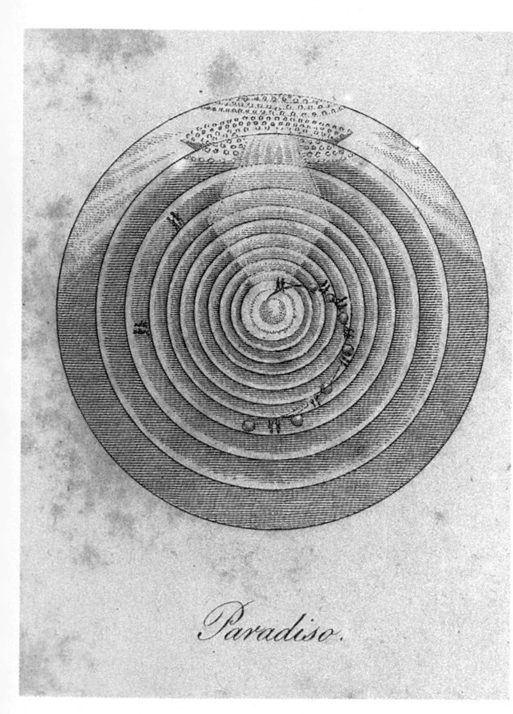

Divina Commedia. Schema del Paradiso.

Dante resta sconfitto e prende la via dell'esilio, prima a Verona, poi in varie altre parti d'Italia.

Infine, passa a Ravenna e lì muore nel 1321

La "Vita Nova" e la "Divina Commedia" sono le due opere maggiori di Dante.

La "Divina Commedia", però, riassume tutti gli aspetti e tutte le fasi della vita di Dante.

È, in un certo modo, un'autobiografia personale ed artistica.

La "Divina Commedia" è un poema diviso in tre parti: Inferno, Purgatorio, Paradiso.

Dante descrive un suo viaggio immaginario nei tre regni dell'Aldilà, con la guida prima di Virgilio, poi di Beatrice.

La poesia italiana, con Dante, cerca un linguaggio per tutti e trova nel dialetto di Firenze una lingua: la lingua toscana diventa lingua nazionale.

Divina Commedia. Schema del Purgatorio.

Divina Commedia. Schema dell'Inferno.

Dante. Inferno. I dannati.

Dante con la sua opera di poesia e di pensiero è un genio universale che chiude la civiltà medievale e apre un'epoca nuova: il Rinascimento.

Dante. Scene della Divina Commedia.

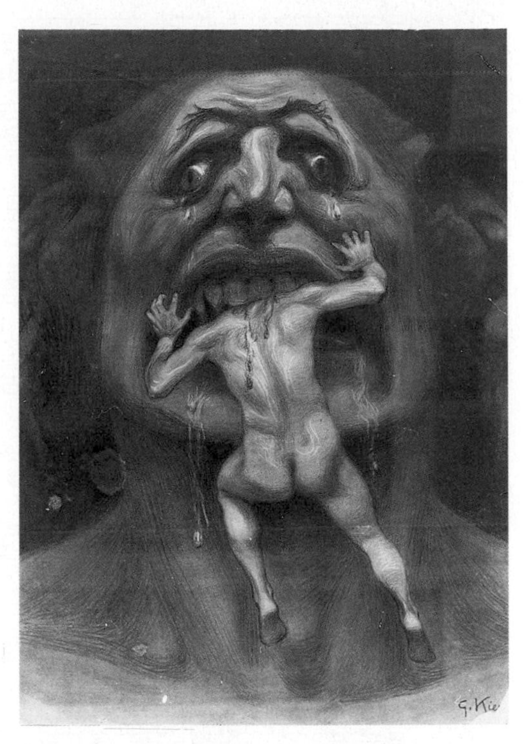

Dante. Scene della Divina Commedia.

20. Questionario

1. Chi è Dante?
2. Dove e quando nasce Dante?
3. Come si chiama la donna di Dante?
4. Dove si reca in esilio Dante?
5. Dove e quando muore Dante?
6. Quali sono le opere maggiori di Dante?
7. Come possiamo definire la Divina Commedia?
8. Chi accompagna Dante nel suo viaggio immaginario?
9. In quale lingua Dante scrive il suo poema?
10. Con Dante il dialetto di Firenze cosa diventa?

24

VA PENSIERO SULL'ALI DORATE

(dall'opera «Nabucco»)

ESERCIZI DI REIMPIEGO E CONTROLLO

Unità (13-24)

13ª Unità

XXVIII. Correggere gli sbagli

1. Gli ho chiesto la moto, ma non me l'ha prestato.
2. Ho incontrato Antonio e le ho raccontato tutto.
3. Aveva un mazzo di fiori e me ne ha regalati tutti.
4. Voleva leggere la sua lettera e gli l'ha strappata dalle mani.
5. La tua partenza ci ha procurati un grande dolore.
6. Maria voleva comprare un paio di scarpe ma non gli bastavano i soldi.
7. Volevamo venire a trovarti ma il nostro padre non ce l'ha permesso.
8. È un'autista abilissimo: lei mi ha insegnato a guidare.

AP.27

XXIX. Trovare le frasi sbagliate e correggerle

1. Gli ha chiesto la moto la mattina e gliel'ha riportata la sera.
2. Abbiamo ascoltato dei programma veramente interessanti.
3. Quel signore è un poeta: mi ha letto le sue poesie.
4. Non abbiamo ancora trovato il sistema per risolvere questi problema.
5. Questi dischi? La celebre pianista ce li ha regalati.
6. Tutti i suoi vecchii amici sono venuti ad applaudirlo.
7. Non ci avete detto quello che avete fatto, non ce l'avete ancora detto.
8. Mi dovrai accompagnare a teatro, ci mi dovrai accompagnare una buona volta.

14ª Unità

XXX. Completare con *ci* o *ne*

1. Ho comprato i giornali di stamane, ma ________ ho letto uno solo.
2. Non voglio discutere con te adesso di questi problemi, ________ parleremo stasera.
3. La famiglia è simpatica, piena di attenzioni e io ________ sto bene.
4. Che cosa ________'è in quel cassetto?
5. La festa è finita e io me ________ vado.
6. È inutile insistere. Io non bevo vino, non mi piace. Non mi ________ abituerò mai.
7. Per arrivare a piedi alla villa ________ vorranno venti minuti.
8. Non gli voglio più bene, non me ________ importa più niente di lui.
9. Non voglio risponderti subito, voglio pensar________ un po'.
10. L'ho fatto io questo quadro, ma non ________ sono soddisfatto.
11. A me sembra un'idea magnifica; e tu che ________ dici?
12. Usa un sacco di attenzioni, è molto premurosa con noi e ________ dà molti buoni consigli.
13. Lasciami il tuo cane: è buffo, vivace, mi ________ diverto un po'!
14. Di storie ________ conosco tante. Vuoi sentir________ una?
15. Devi parlargli proprio nell'orecchio, perché non ________ sente.
16. Basta, non insistere! Non ________ voglio più.
17. Non telefonargli, al cinema ________ va con la fidanzata.
18. Smetto di studiare; non ________ posso più.
19. Ormai l'opera è quasi terminata: ________ lavora da un anno.
20. Aiutami a salire, non ________ la faccio da solo.

AP.28

15ª Unità

XXXI. Completare con l'*imperativo*

1. Un tuo amico è venuto a trovarti. Digli di:
   entrare — *Entra!*
   posare la borsa sulla sedia — ________
   accomodarsi in salotto — ________
   aspettare due minuti perché devi fare una telefonata urgente — ________
   ____

2. Un signore ha bussato alla tua porta. Digli di:
   entrare — ______
   posare la borsa sulla sedia — ______
   accomodarsi in salotto — ______
   aspettare due minuti perché devi fare una telefonata urgente — ______
   ______
3. Stasera non tornerai a casa per la cena. Telefona a tua moglie e dille di:
   non aspettarti — ______
   far mangiare presto i bambini — ______
   andare a letto presto — ______
   chiudere bene porte e finestre — ______
   non fare entrare nessuno — ______
4. Domenica prossima farai una festa. Di' al tuo amico Giovanni di:
   portare i dischi — ______
   comprare delle pizze e delle bottiglie di birra — ______
   invitare le sue amiche Anna e Carla — ______
   non preoccuparsi di niente altro — ______
5. Di' al tuo amico Giorgio di:
   non dimenticarsi di prendere i libri — ______
   riportarli in biblioteca — ______
   riportarceli al più presto — ______

AP.29

6. Di' al signor Rossi di:
   non dimenticarsi di prendere i libri — ______
   riportarli in biblioteca — ______
   riportarceli al più presto — ______
7. Di' al tuo amico Sandro che esce di casa di:
   comperare le sigarette — ______
   prendere il giornale — ______
   passare in lavanderia — ______
   lasciare un pacco di camicie da lavare — ______

XXXII. Completare secondo il modello: *Vuoi dare la macchina a Paolo? — Dagliela!*

1. Volete prestare i dischi a Giorgio? — ______
2. Vuole prestare i dischi a Maria? — ______
3. Vuoi comprare quel vestito? — ______
4. Vuole comprare quel vestito? — ______
5. Non vuoi comprare quel vestito? — ______
6. Vuole andare a Milano? — ______
7. Non vuole rimanere qui? — ______

8. Vuoi andare a Milano? – ____________________
9. Non vuoi rimanere qui? – ____________________
10. Vuoi telefonare a Mario? – ____________________
11. Vuoi telefonare a Maria? – ____________________
12. Vuoi dire a Mario di venire alla gita? – ____________________
13. Vuole dire al cameriere di portare un caffè? – ____________________
14. Vuole portare a casa questi libri? – ____________________
15. Vuoi portare a casa questi libri? – ____________________

16ª Unità

XXXIII. Completare con i *pronomi relativi* e *dimostrativi*

AP.30

1. La persona, ____________ ho viaggiato, era simpaticissima.
2. E questo è tutto ____________ avevo da dirti.
3. L'argomento, ____________ abbiamo avuto uno scambio di idee, è veramente interessante.
4. Aiuto sempre ____________ mi aiuta.
5. La ragazza, ____________ ti riferisci, è sua sorella.
6. Non riesco a capire ____________ hai scritto.
7. Non potrà mai dimenticare gli errori ____________ ha commesso.
8. La città, ____________ è vissuto più a lungo, è Bologna.
9. ____________ tace acconsente.
10. Gli studenti, ____________ ho prenotato la camera, sono arrivati.
11. Quello è il signore ____________ ho indicato la strada.
12. È per te. Se non ti piace, dallo ____________ ti pare.
13. Il tema ____________ hai trattato è attualissimo.
14. Prima di parlare pensa ____________ stai per dire.
15. È arrivato alla fermata nel momento ____________ l'autobus partiva.
16. Faccio per loro tutto ____________ posso.
17. Le lettere, ____________ ti ho fatto leggere, sono arrivate ieri.

18. ____________ fa da sé, fa per tre.
19. La persona ______________________ ti chiedo questo favore, è un mio vecchio compagno di scuola.
20. Non ho capito niente ______________________ ____________ hai detto.

17ª Unità

XXXIV. Completare con le opportune forme del *congiuntivo presente* o *passato*

1. Credo che Mario ____________ (uscire) ieri con tua sorella.
2. Non ho visto la nuova casa di Luigi. Penso che ____________ (essere) una bella casa.
3. Lo studente pensa troppo prima di rispondere. Suppongo che ______________________ (studiare) poco questo argomento.
4. Non mi hai parlato del disco che ti ho regalato. Spero che ti ______________________ (piacere).
5. Quel tuo amico non mi è simpatico. Desidero che non ____________ (stare) con noi.
6. Questa automobile consuma troppa benzina. È necessario che la ____________ (vendere).
7. Credo che mio zio ______________________ (vendere) la sua auto la settimana scorsa.
8. Non voglio comprare questa frutta, perché temo che non ____________ (essere) ancora matura.
9. Luisa non mi ha riportato il libro. Penso che non lo ____________ ____________ (leggere) ancora.
10. Perché Paolo non è con te? - Non lo so. L'ho aspettato per dieci minuti; credo che ______________________ (restare) a casa.
11. Perché pensi che Paolo ______________________ (restare) a casa? - Credo che non ____________ (stare) bene, perché al ritorno dall'università ha sentito freddo per la strada.
12. Sono contento che ______________________ (venire) anche tua sorella alla gita di domenica prossima.
13. Mi dispiace che lei non ______________________ (capire) la mia lingua.
14. È un peccato che tu non ______________________ (ricevere) ancora posta.

AP.31

15. Voglio che tu mi __________ (scrivere) una lettera alla settimana.
16. È meglio che tu non ______________ (andare) a vedere quella commedia ieri sera.
17. È un peccato che voi non ________________ (ascoltare) la lezione di quel professore. È stata una lezione interessante.
18. Desidero che voi ______________ (comprare) quel libro.
19. È una vergogna che quello studente ______________ (dormire) tutte le mattine fino a mezzogiorno.
20. Temo che domani ______________ (piovere).

XXXV. Completare con le opportune forme del *congiuntivo*, dell'*indicativo*, dell'*infinito* e con i *pronomi*

1. È un bell'accendisigari; penso che tu ______ ______________ (pagare) caro.
2. È uno studente attento; credo che il professore ______ ________ (stimare) molto.

AP.32

3. Sento che Maria canta. Dov'è? - Non lo so: suppongo che ________ (essere) in camera sua.
4. Hai bevuto troppo vino. Temo che ____ __________ (fare) male .
5. Non devi passare così il tuo tempo. Voglio che ______________ (studiare) di più.
6. Non trovo più il mio ombrello. Credo di ________ ________ (lasciare) dal libraio.
7. Non capisco la Sua lingua. Desidero che Lei ________ (parlare) italiano.
8. Ho parlato molto, ma temo che Lei non ______________ (capire) tutto quello che ho detto.
9. È una buona grammatica. Desidero che ____ ____________ (comperare) anche Lei.
10. Non sono capace di aprire questa porta. È necessario che ____ ________ (chiamare) un fabbro.
11. È molto tempo che ho questo libro. Bisogna che ____ ________ ________ (riportare) in biblioteca.
12. Questo romanzo non è lungo. Penso ______________ (leggere) in tre ore.
13. Signorina, il mio racconto non è stato interessante. Temo di ______________ (annoiare).
14. Lo studente è uscito di casa troppo tardi. Temo che ________ ________ (perdere) il treno.

15. Vuole già partire? Desidero che Lei __________ (restare) ancora un po'.
16. Questo libro gli è necessario. Bisogna che ______ __________ (spedire) oggi stesso.
17. Ha ritrovato il portafogli. È una fortuna che ______ __________ (ritrovare) con tutto il denaro.
18. Il treno non è ancora arrivato. Con questi scioperi è possibile che __________ (avere) un forte ritardo.

XXXVI. Completare con le opportune forme del *congiuntivo, indicativo, infinito* e con i *pronomi*

1. Ho letto quel romanzo; è interessante. Desidero che ______ __________ __________ (leggere) anche tu.
2. Quello studente mi era antipatico; da un po' di tempo non lo incontro più a lezione. Spero che __________ (partire).
3. Ho lasciato la mia penna d'oro sul banco. Vado a riprenderla. Spero ______ __________ (ritrovare).
4. Ieri avevo comprato una grande scatola di cioccolatini; oggi ho trovato solo due cioccolatini nella scatola. Penso che mia figlia __________ __________ (mangiare) gli altri.
5. Mia figlia ha mangiato troppi cioccolatini. Temo che ______ __________ __________ (fare) male.
6. Le manderò il mio indirizzo, affinché __________ (scrivere).
7. Domani andrò a Firenze in macchina, ma non mi piace viaggiare da solo. Desidero che tu __________ (venire) con me.
8. Non riesco a fare questo esercizio troppo difficile. Desidero che Lei ______ __________ (aiutare).
9. Vorrei regalare questo quadro al mio amico, ma temo che non ______ __________ (piacere).
10. Un mese fa ho visto un bell'orologio da quell'orologiaio. Ora vorrei comprarlo; spero che l'orologiaio non ______ __________ __________ (vendere); ma è passato troppo tempo e temo che non ______ __________ (avercelo) più.
11. Ho fatto tardi a scuola, ma spero che la lezione non __________ __________ (cominciare).
12. Resterò ancora qui, benché non ci __________ (stare) bene.
13. Berrò ancora un bicchiere di vino, quantunque mi __________ (girare) la testa.

AP.33

14. Gli presterò il denaro, affinché __________ (potere) pagare l'affitto.
15. Gli presterò il denaro, purché __________ __________ __________ __________ (restituire) presto.
16. Verremo con te, a patto che tu __________ __________ (offrire) da bere.
17. È possibile che Giovanna non __________________ (capire) quello che hai detto.
18. Mi serve la macchina per domenica. Temo che il meccanico non _____ ______________ (riparare) per quel giorno.

18ª Unità

AP.34

XXXVII. Completare con una delle seguenti congiunzioni: *purché, affinché, benché, senza che, prima che*

1. Lo comprerò ________________ sia troppo caro.
2. Ti inviterò __________ venga con te anche la tua simpatica amica.
3. Lo faccio sempre __________ __________ lui me lo dica.
4. Lo faccio ____________________ lui non sia d'accordo.
5. Gli ho scritto __________ non avessi ricevuto nemmeno una riga da lui.
6. Andrò a trovarlo __________ __________ parta.
7. Ti ho indicato quel bravo medico __________ potessi guarire presto.
8. Andrò alla stazione ____________________ qualcuno mi accompagni.
9. Verrò a vedere quel film __________ valga la pena vederlo.
10. L'ho mandato negli Stati Uniti __________ si specializzasse presso quel famoso istituto.
11. Ti presto la macchina __________ me la restituisca presto.
12. Ti presto la macchina __________ tu non mi abbia mai fatto un favore.
13. Ti presto il libro __________ possa cambiare le tue idee sull'autore.
14. Uscirò __________ __________ nessuno se ne accorga.
15. Uscirò __________ __________ torni tua madre.
16. Partirò __________ __________ inizi la brutta stagione.
17. Gli ho telefonato ____________________ non ne avessi alcuna voglia.

18. Le ho preso la borsa __________ __________ lei se ne accorgesse e l'ho nascosta.
19. Ho letto la lettera __________ __________ lui tornasse a casa.
20. Vi ho telefonato ____________________ veniste subito.

XXXVIII. Usare opportunamente il *congiuntivo*, l'*infinito* e il *condizionale*

1. Eri così contento di stare a Venezia, che pensavo che un giorno _____ _____ ________________ (ritornarci).
2. Quando ti ho incontrata supponevo che tu _______________ già _______________ (andare) all'università.
3. Quando ho telefonato speravo che la mia amica __________ già _______________ (arrivare).
4. Quando sono partito dal mio Paese credevo ____________________ (trovare) un buon lavoro all'estero.
5. Mentre entravo nell'aula pensavo che la signorina ___________ (essere) già al suo posto e che ____________________ (studiare) il congiuntivo.
6. Ti scriverò a patto che _____ ____________________ (rispondermi).
7. L'italiano ci piace sebbene __________ (essere) un po' difficile.
8. Sono venuto alla festa perché speravo _____ ____________________ (incontrarti).
9. Nel caso che __________ (piovere), faremo la passeggiata in automobile.
10. Il professore ripeterà la lezione nel caso che gli studenti non ____________________ (capire).
11. Mi è bastato guardarti: ho capito tutto senza che tu __________ __________ (parlare).
12. Ricordo benissimo il tuo numero telefonico, non importa che tu lo __________ (scrivere).
13. È tardi, bisogna che __________ (fare) presto; voglio arrivare prima che la lezione ____________________ (cominciare).
14. Voglio visitare Napoli prima _____ ____________ (lasciare) l'Italia.
15. Non ho preso l'ombrello perché pensavo che non __________ ____________________ (piovere).
16. Ti ho telefonato a quest'ora perché credevo che __________ (essere) ancora alzato.

AP.35

17. Signorina, non l'ho salutata perché temevo che Lei non _____ _______ _______________ (ricordarsi) più di me.
18. Speravo vivamente che quello sgradito ospite _____________________ _____________________ (partire) pochi giorni dopo.

19ª Unità

XXXIX. Sostituire all'infinito il verbo al modo e al tempo opportuni (*periodo ipotetico)*

AP.36

1. Se proverai, _____________________ (riuscire).
2. Se avessi provato, _______________ ___________ (avere) successo.
3. Se partirò, ti _______________ (portare) con me.
4. Se fumassi di meno, ti _______________ (sentire) meglio.
5. Se fumerai di meno, ti _______________ (sentire) meglio.
6. Se hai fame, _______________ (mangiare).
7. Se _______________ (mangiare) di meno, non sarei così grasso.
8. Se __________ (avere) la possibilità, farò più spesso dei viaggi.
9. Se __________ (avere) la possibilità, farei più spesso dei viaggi.
10. Se _____ _____ (avere) la possibilità, avrei fatto più spesso dei viaggi.
11. Se _______________ (conoscere) bene la sua lingua, parlerei con lui volentieri.
12. Se __________ __________ (conoscere) bene la sua lingua, avrei parlato con lui volentieri.
13. Se __________ (avere) una macchina più veloce, impiegherei minor tempo.
14. Se avessi avuto una macchina più veloce, __________ __________ __________ (impiegare) minor tempo.
15. Se partirò, te lo __________ (fare) sapere.
16. Se partissi, te lo __________ (fare) sapere.
17. Se fossi dovuto partire, te lo __________ _______________ (fare) sapere.
18. Se potrò avere i biglietti, __________ (andare) senz'altro a vedere la partita.

19. Se potessi avere i biglietti, __________ (andare) volentieri a vedere la partita.
20. Se Lia avesse avuto i biglietti, __________ __________ (andare) volentieri a vedere la partita.
21. Se ti dico la verità, ti __________ (arrabbiare).
22. Se ti dicessi la verità, ti __________ (arrabbiare).
23. Se ti avessi detto la verità, ti __________ __________ (arrabbiare).
24. Se non _____ _____(bere) troppo, non mi sarei sentito male.

20ª Unità

XL. Completare - (*gradi dell'aggettivo*)

AP.37

1. La domenica è il giorno __________ bello __________ settimana.
2. Febbraio è il mese __________ corto __________'anno.
3. Il mignolo è il dito __________ piccolo __________ mano.
4. Giovanna è alta m. 1.65. Maria è alta m. 1.70. Maria è __________ alta __________ Giovanna.
5. Luisa fuma due sigarette e Veronica fuma dieci sigarette al giorno. Luisa fuma __________ __________ Veronica.
6. La casa di Mario è lunga m. 14 e larga m. 6. La casa di Mario è __________ lunga __________ larga.
7. Zia Carlotta è molto grassa e poco alta. Zia Carlotta è __________ "larga" __________ "lunga".
8. Nella mia biblioteca ci sono molti libri. Nella tua ci sono pochi libri. La tua biblioteca è __________ fornita __________ mia; io ho __________ libri __________ te.
9. Antonio legge spesso, Luca legge raramente. Antonio legge __________ __________ Luca.
10. Maria è simpatica e anche Marta. Maria è __________ simpatica __________ Marta.
11. Enzo e Rolando fumano molto. Enzo fuma __________ __________ Rolando.
12. Bruno dorme molto e studia poco. Bruno __________ __________ studiare, dorme.

13. Vera si diverte poco e lavora molto. Vera __________ __________ divertirsi, lavora.
14. Non ho conosciuto ragazze simpatiche come Bianca. Bianca è la ragazza __________ simpatica __________ abbia conosciuto. Bianca è la ragazza __________ simpatica __________ tutte.
15. Il Volga è il fiume __________ lungo __________'Europa.
16. Il Garda è il lago __________ grande __________ 'Italia. Il Garda è il __________ grande lago __________ 'Italia.
17. Il Monte Bianco è il __________ alto monte __________'Europa.
18. L'Everest è la montagna __________ alta __________ mondo.
19. Enrico ha tre fratelli e due sorelle. Enrico ha __________ fratelli __________ sorelle.
20. Giorgio ha due fratelli e due sorelle. Giorgio ha __________ fratelli __________ sorelle.
21. Studio bene sia a casa che in biblioteca. Studio __________ bene a casa __________ in biblioteca.

AP.38

22. La "Regata" Fiat è comoda e veloce. La "Regata" Fiat è __________ comoda __________ veloce.
23. Ho fatto un discorso molto lungo e poco convincente. Ho annoiato __________ __________ quanto abbia convinto. Il mio discorso è stato __________ lungo __________ convincente. Il mio discorso è stato __________ lungo __________ noioso.
24. Viaggio velocemente in aereo e tranquillamente in treno. In treno viaggio __________ velocemente __________ in aereo. Se voglio stare tranquillo, preferisco viaggiare __________ in treno __________ in aereo.
25. Se voglio arrivare presto allora preferisco andare con l'aereo __________ __________ con il treno. Senza dubbio in aereo viaggio __________ velocemente __________ tranquillamente.

21ª Unità

XLI. Completare con le convenienti forme del *passato* e *trapassato remoto*

La città era piena di studenti e turisti, non si trovava una camera, un letto per dormire. Ma non ero disposta a passare la notte in un sacco a pelo, ammesso che lo avessi, o su di una panchina dei giardini pubblici: non mi sento adatta a sopportare i disagi.

Mi ______________ (ricordare) di un'amica che studiava lì da alcuni mesi. ______________ (cercare) nell'elenco il suo numero telefonico. Per fortuna il numero era a suo nome e lei era in casa.

Appena ______________ ______________ (scambiare) con lei i saluti e notizie varie sulla salute e sulla famiglia, le ______________ (spiegare) la situazione. Lei ______________ (capire) e mi ______________ (invitare) a casa sua.

Ci ______________ (rimanere) una settimana: e ______________ ______________ (andarsene) solo dopo che ______________ ______________ (trovare) una buona sistemazione al centro, vicino alla scuola che avevo intenzione di frequentare.

XLII. Completare con il *passato remoto*

Gli avevo insegnato le regole della buona educazione e soprattutto a stare tranquillo e calmo, a non disturbarmi durante il lavoro o quando ci sono ospiti in casa.

AP.39

Un bel giorno ______________ (arrivare) degli amici e in salotto ______________ (iniziare) una piacevole conversazione.

Lui era con noi, e come sempre, non partecipava ai nostri discorsi, ma ascoltava con molta attenzione.

Dopo un po', quando eravamo sul più bello, ______________ (notare) che mi guardava in un certo modo, come se mi invitasse ad uscire. Poi ______________ (diventare) nervoso e questo era evidente, perché si spostava continuamente. In fine mi ______________ ______________ (venire) vicino e, a suo modo, mi ______________ (obbligare) a prestargli attenzione; ma l'argomento che trattavamo era interessante e non avevo intenzione di interromperlo. Ma ______________ (essere) lui che l'______________ (avere) vinta: con certe maniere e facendo molto chiasso, prima mi ______________ (indurre) a seguirlo fuori di casa poi mi ______________ (costringere) con quella sua voce autoritaria ad accompagnarlo nella sua solita passeggiata.

- Figlio di un cane, – gli ______________ (dire) – quando capirai che non devi comportarti così?

Lui ______________ (agitare) la sua enorme coda bianca e mi ______________ (trascinare) via per la strada.

XLIII. Dalla *forma attiva* alla *passiva*

1. Finalmente la polizia ha preso il ladro.
2. Abbiamo tutti ascoltato con interesse il tuo discorso.
3. Non devi scrivere queste frasi.
4. Gli operai di quella fabbrica hanno fatto uno sciopero.
5. Chi ti ha regalato questo disco?
6. Ragazze, chi vi ha visto?
7. Hanno chiuso la fabbrica.
8. La signorina vuole che glielo mandino a casa.
9. Il professore restituirà i compiti domani.
10. Lui vuole che gli riportiate voi il documento.
11. Loro pretendono che questo lavoro lo faccia lui.
12. Hai detto tu quelle parole?
13. Volevamo che la signorina ci ripetesse la domanda.
14. Non voglio che tu pensi che l'abbia fatto io.
15. Bisognava che loro glielo comunicassero in tempo.
16. Me l'aveva presentata Mario.
17. Pensavo che mi avessi scritto tu questa cartolina.

AP.40

18. I compagni lo prendevano in giro.

19. Hanno riaperto il museo.

20. Ci penseremo quando avranno modificato la legge.

23ª Unità

XLIV. Dal *discorso diretto* al *discorso indiretto*

1. Gli domandai: - Hai fatto il compito? -

2. Il maestro mi disse: - Prendi i tuoi libri e i tuoi quaderni e va' a sederti laggiù! Così ti troverai solo ed isolato da tutti! ...E così pagherai il bruttissimo vizio di molestare i compagni che hanno la disgrazia di starti vicini.

AP.41

3. Evangelina... poco dopo tornò a dirmi: - È un problema difficilissimo; Augusto non può risolverlo; piange... .

4. Augusto non sa fare il compito. - Mi venne a dire Evangelina. - È tutta la mattina che lo vedo ricurvo a tavolino, mi fa proprio pena, dovresti aiutarlo -.

5. Esclamai: - ... Se i problemi glieli danno, è segno che deve saperli risolvere... e se non sa, è meglio che il maestro gli rifaccia la spiegazione; e poi, sono tanto occupato! -.

6. E io soggiunsi: - Io non ho tempo e poi tocca a te fare il compito. Però hai lavorato troppo; riposati: va' in giardino e corri; poi torna su e ti sarà più facile -.

7. Gli dissi: - Mangia! Se non mangi, ti sentirai male! -.

8. Le domandai: - L'hai fatta tu questa tovaglia? -.

9. Lei rispose: - Sì, l'ho fatta io un anno fa, quando stavo per sposarmi -.

10. Mi disse: - Vattene! Non voglio vederti più! -.

11. Lui mi scrisse: - I miei studi vanno bene. I professori mi stimano -.

12. Lui mi scrisse: - Domani mi presenterò all'ultimo esame. Spero che anche questo mi dia la soddisfazione degli altri -.

24ª Unità

XLV. Dalla *forma esplicita* alla *implicita*

1. Dopo che ebbi preso gli ultimi accordi con i vicini di casa e dopo che ebbi sistemato i miei affari, partii tranquillo per le vacanze.

AP.42

2. Conduceva una vita serena, poiché era amato e stimato da tutti.

3. Dopo che si fu svegliata alle tre di notte, non riuscì più a prendere sonno.

4. Dopo che mi fui accorta di non avere il portafogli, rientrai in casa.

5. L'albero, che era stato piegato dagli anni e dal vento, fu abbattuto.

6. L'uomo, che era stato fermato dagli agenti, assomigliava moltissimo a quello ricercato dalla polizia.

7. Dopo che l'ebbi preso sotto braccio, lo accompagnai fino alla sua macchina.

8. Dopo che le ebbi domandato se le servisse altro, uscii dalla stanza.

9. Scrissi la lettera, ma, quando l'ebbi riletta, decisi di non spedirla.

10. Poiché avevo abbandonato il lavoro, non avevo più un soldo in tasca.

11. Poiché avevo finito gli studi universitari, non avevo alcun motivo di rimanere in quella città.

12. Se è bevuto alla temperatura giusta, questo vino è eccellente.

____

13. Se era visitata di notte, la città rivelava, alla luce dei lampioni, degli angoli incantevoli e suggestivi.

____

14. Camminavo a zig-zag, come se fossi stato colpito in testa da una pietra

____

15. Parlava balbettando, come se fosse intimidito dalla presenza di quel signore.

____

16. Dopo che fu finita la lezione, tutti gli studenti uscirono in silenzio dall'aula.

____

17. Dopo che fu terminato l'acquazzone, il viale si ripopolò.

____

18. Dopo che fu tornato il bel tempo, la città cambiò aspetto.

____

AP.43

19. Poiché si era levato un vento terribile, dovetti tornare subito a casa.

____

20. Dopo che ebbe aperto il pacco, rimase sorpreso.

____

XLVI. Dalla *forma esplicita* alla *implicita*

1. Penso che mi iscriverò alla facoltà di medicina.

____

2. Vedo i bambini che giocano nel giardino.

____

3. Ascolto spesso il nonno che racconta episodi della sua vita avventurosa.

____

4. Mi sono sentito male perché avevo bevuto troppo.

____

5. Si è rovinato perché aveva fatto una vita disordinata.

____

6. Ho visto il professore mentre usciva poco fa dall'aula.

____

7. Mentre passeggiavo per la spiaggia, vidi dei bambini costruire dei castelli di sabbia.

____

8. Dopo che avevo preso quella medicina, mi sono sentito subito meglio.

9. Se continui a bere così, metti in serio pericolo la tua salute.

10. Poiché non avevo trovato nessun vigile per la strada, chiesi l'informazione ad un passante.

11. Dopo che ebbi salutato tutti gli amici, partii.

12. Poiché avevo perduto l'ultimo autobus, tornai a casa a piedi.

13. L'ho visto che usciva di casa e che correva.

14. Era ubriaco fradicio e io, poiché lo vedevo in quello stato, l'ho accompagnato a casa in macchina.

15. Se farai questa strada, arriverai prima all'università.

AP.44

16. Quando entravo in quel bar, ci trovavo ogni volta le stesse persone.

17. Poiché gli avevo dato tutte le indicazioni possibili, non pensavo che si sarebbe sbagliato.

XLVII. Sostituire al verbo all'*infinito* il conveniente *sostantivo*

1. Mi piace studiare.

2. Insegnare è anche imparare.

3. Viaggiare in treno mi stanca.

4. Fumare ti fa male.

5. Leggere è il suo passatempo preferito.

6. Conversare con voi è piacevole.

7. Giocare a bocce è divertente.

8. Impiega molto del suo tempo a preparare piatti deliziosi per i suoi ospiti.
9. La sua vita è stato un continuo soffrire.
10. Quell'uomo non pensa che a lavorare.
11. Dire e fare spesso non vanno d'accordo.
12. Partire è un po' morire.
13. È una dura fatica scendere e salire le scale di questa casa.
14. Volere è potere.
15. Mi guadagno la vita con il lavorare.
16. Leggere è imparare.

AP.45

17. Viaggiare vuol dire fare molta esperienza.
18. Giocare a carte spesso significa perdere tutto.

TEST DI CONTROLLO PERIODICO
(Unità 1-17)

3. (fino alla 17ª unità)

A. Volgere al plurale

1. Questo è un problema che non posso risolvere subito.
2. È un artista molto famoso che è innamorato di questa città.
3. È inutile che ti affretti, la banca è chiusa il sabato.
4. Vengo spesso a passeggiare sotto il portico di questo palazzo.
5. Per me ho ordinato un succo di frutta e per te un tè al limone.
6. Se continui ad essere imprudente, avrai certamente un incidente.
7. Questo è un luogo meraviglioso per la nostra vacanza.
8. Che cosa ti è successo? Hai una guancia rossa.
9. In questa via c'è un macellaio.
10. Questa bistecca è dura come un sasso.
11. Questa mattina ho preso un solo caffè.
12. Il bar chiude alle otto.
13. Il pendio di questa collina è coperto da un bosco incantevole.
14. Ho preso una barca a motore e ho fatto il giro del lago.
15. L'amica di tuo fratello ha comprato una giacca all'ultima moda.

AP.46

B. Volgere in una situazione passata

1. Ogni volta che ricevo i soldi, li spendo tutti in pochi giorni.
2. Finisco di leggere questa pagina e poi spengo la luce.
3. Di solito, studio circa tre ore al giorno.
4. Grazia esce, non ne può più, ha voglia di fare quattro passi.
5. I ragazzi vanno subito a casa, perché non vogliono perdere la partita di calcio.
6. Accendo il televisore e la partita è già cominciata.
7. Il professore entra in aula, tutti lo salutano.
8. Non bevo più, mi gira la testa.
9. Non compro il giornale, l'ha già comprato mio fratello.
10. Aldo si alza, si veste in fretta e accompagna la signorina.

11. Finisco di fumare la sigaretta, poi entro nell'aula.
12. Ogni volta che devo svegliarmi presto, la signora mi presta la sua sveglia.
13. Se non puoi farmi questo piacere, non devi preoccuparti.
14. Non posso prestarti la mia moto, l'ho portata dal meccanico, non funziona bene.

C. Dalla forma del "Lei" alla forma del "tu"

1. Maria, mi passi quel libro, per favore.
2. Accompagni il Suo amico in segreteria.
3. Entri in quel negozio e domandi il prezzo di quella borsa.
4. Non stia sempre zitto! Parli! Dica qualcosa!
5. Vada a vedere quel film, si divertirà.
6. Ho dimenticato il mio ombrello, mi presti il Suo, per piacere; glielo riporterò fra poco.
7. C'è una signorina che L'aspetta, non la faccia aspettare.
8. Se vuole dirmelo, me lo dica subito!
9. Le ho fatto un regalo, apra il pacchetto, lo guardi.
10. Vada in segreteria, ci vada subito!

D. Rispondere alle domande con i pronomi e l'avverbio "ci"

1. Hai visto Mario?
2. Siete andate al mare?
3. Hai comprato i fiammiferi?
4. Hai ascoltato la radio?
5. Hai comprato i giornali per Luigi?
6. Che cosa hai detto a Francesca?
7. Che cosa hai scritto ai tuoi genitori?
8. Mi hai comprato le sigarette?
9. Puoi dirmi che cosa hai fatto ieri?
10. Quante lettere hai scritto?

E. Completare

AP.48

1. Penso che domani...
2. Temo che tu...
3. Desidero che...
4. Ho paura che...
5. Può darsi che...
6. Fumo, benché...
7. Verrò a cena da te, purché...
8. È un peccato che...
9. Voglio...
10. Voglio che...

4. (fino alla 24ª unità)

A. Al plurale

Vorrei fermarmi con *te* un quarto d'ora per raccontarti quello che mi è successo l'altro giorno, ma non posso, perché è tardi e ho molta fretta. Se verrai, però, dopo cena a casa mia, ti farò un racconto particolareggiato della buffa avventura che ho vissuto. Se vieni, porta con te anche *quella tua amica* che mi hai presentato davanti al negozio del tabaccaio.

B. Volgere al passato (*Ieri,* sull'autostrada una 126 Fiat è *uscita* .....)

Sull'autostrada una 126 Fiat *esce* dalla sua corsia senza mettere la freccia proprio mentre *sto* sorpassando.
Per evitarla *vado* contro il guard-rail. Il guidatore *esce* pallido dalla sua utilitaria e *viene* a vedere cosa mi *è successo.* Non mi *è successo* nulla. Allora l'uomo *si mette* a piangere e mi *dice* che gli *ho salvato* la vita, poi mi *domanda* che cosa *può* fare per me. Gli *dico* che *può* fare due cose soltanto: darmi il nome dell'assicurazione e poi andare a telefonare al carro-attrezzi. (Liberamente tratto da L. Goldoni)

C. Rispondere alle domande con i pronomi e l'avverbio "ci"

1. Dove hai messo la valigia?
2. Mi ha preparato il vestito blu?
3. Hai messo la camicia leggera nella valigia?
4. Puoi dire ad Alfredo che passo a prenderlo tra mezz'ora?
5. Ti dispiace se rimango lontano molto tempo?

D. Dalla forma del "Lei" alla forma del "tu"

Se domani deve partire presto, non si preoccupi, Le darò la mia radio-sveglia. Mi dica solamente a che ora vuole svegliarsi e Gliela sistemerò all'ora che desidera. Ora vada pure a dormire e faccia un bel sonno. Non prenda sonniferi, beva invece questa tazza di camomilla che Le ho preparato.

E. Volgere nella forma passiva

Ieri un incendio ha danneggiato gravemente uno stabilimento per la produzione dell'olio. Alcuni abitanti della zona hanno visto un fumo intenso che usciva dalla fabbrica e hanno dato subito l'allarme. Quando i vigili sono arrivati, le fiamme avevano però già distrutto buona parte dell'edificio.

F. Completare

Cara Giovanna, è da molto tempo che non ricevo tue notizie benché ti __________ (spedire) due lettere.
Vorrei tanto che tu __________ (venire) a trovarmi qui dove svolgo il mio nuovo lavoro, ma mi rendo conto che, dati i tuoi impegni, è molto difficile che tu __________ (potere) farlo, almeno per ora.
Se mi __________ (presentarsi) l'occasione, verrei volentieri io a farti una breve visita, ma qui le condizioni favorevoli per spostarsi sono sempre più rare.

TEST DI VERIFICA E VALUTAZIONE GLOBALE

(Unità 1-24)

Test n. 1

A. Volgere al plurale

1. L'esame non è stato difficile.
2. Ho ascoltato per radio un programma interessante.
3. Gli ho detto che non posso assolutamente andare a trovarlo.
4. È un musicista molto famoso nel suo Paese.
5. Era un'ipotesi che non avevo preso in considerazione.

B. Volgere al passato

1. Voglio che lui finisca quel lavoro.
2. Prendo il tuo vocabolario, perché il mio non riesco a trovarlo.
3. Qualche volta vado a fare una visita a quella vecchia signora che è rimasta sola; le porto dei biscotti e facciamo quattro chiacchiere.
4. Se tu prendessi questa medicina, ti sentiresti meglio.
5. Mio fratello non è in casa, è uscito qualche minuto fa.

AP.51

C. Rispondere con i pronomi

1. Avete comprato le cartoline?
2. Hai visto i miei occhiali?
3. Dove hai messo il giornale?
4. Quando hai restituito i soldi a Giorgio?
5. Puoi aspettarmi?

D. Dalla forma del "Lei" alla forma del "tu"

Si sieda, apra la bocca, ecco, l'apra bene, mi dica dove sente dolore. È questo il dente che Le fa male? Bene. Adesso stia fermo, non si muova e vedrà che non sentirà niente.

E. Completare

Mia figlia partirà per l'Inghilterra il mese prossimo. Spero che ________ (imparare) bene l'inglese.
Vorrei che ________ (incontrare) sempre persone gentili.
Se suo fratello ________ (essere) più grande, ________ (andare) con lei.

F. Svolgere il seguente tema:

Il corso è finito: uno sguardo al passato e uno al futuro.

AP.52

Test n. 2

A. Volgere al plurale

1. Il malato ha avuto una grave crisi nervosa.
2. La polizia continua la ricerca del terrorista.
3. Nella nostra conversazione abbiamo toccato un tema interessante.
4. Prima di rispondere voglio analizzare bene questo problema.
5. È un sindacalista che lavora molto per difendere l'interesse della sua categoria.

B. Volgere al passato

1. Perché la compri se non ti serve?
2. Tutti i giorni passo davanti a quell'edicola, mi fermo e compro il giornale.
3. Adesso faccio la valigia e chiamo un tassì.
4. Voglio rivedere la città dove ho fatto gli studi universitari.
5. La signora Giuditta gli dà sempre un libro dove ci sono stupende immagini di animali.

C. Rispondere con i pronomi e l'avverbio "ci"

1. Hai comprato la macchina da scrivere?
2. Siete andati in piscina?
3. Hai detto a Maria di passare in segreteria?
4. Puoi aiutarmi a fare questo lavoro?
5. Che cosa vuoi dire a Lucia?

D. Dalla forma del "Lei" alla forma del "Tu"

Mi scusi, signor Giovanni, se insisto, ma non metta le mani su quel motore; mi dia ascolto, segua il mio consiglio: porti la Sua macchina da un buon meccanico, ce la porti oggi stesso, si troverà contento.

E. Leggere la situazione presentata, poi completare

AP.53

(Paolo è andato alla stazione a prendere Maria che doveva arrivare con il treno delle nove. Alle nove il treno è arrivato, Maria no.)
Paolo teme che Maria __________ (perdere) il treno.
Paolo spera che Maria __________ (arrivare) con il treno seguente.
Paolo pensa che se Maria non __________ (partire), __________ (mandare) un telegramma.

F. Svolgere il seguente tema:

Un ragazzo (una ragazza) che non dimenticherò mai.

Test n. 3

A. Volgere al plurale

Se qualche volta arrivo in ritardo, mi deve scusare. Sono venuto in questa città per studiare la lingua, è vero, ma anche per una vacanza; sono studente e turista. La sera, spesso, incontro un amico o un'amica e decido di fermarmi con lui. Vado al cinema, al concerto o salgo nel suo appartamento per ascoltare qualche disco. Così faccio sempre tardi e la mattina è un problema alzarmi in orario.

(Unità 1-24) TEST DI VERIFICA E VALUTAZIONE GLOBALE

B. Dalla forma del "Lei" alla forma del "tu"

Lei ha ragione quando mi dice: Si alzi prima la mattina! Cerchi di arrivare in tempo! Organizzi un po' meglio i Suoi orari! Ma, La prego, non si arrabbi con me! Mi faccia qualche domanda o ne parli con l'insegnante di conversazione e vedrà che con la lingua ho fatto grandi progressi!

C. Completare le frasi

Io sono un bravo studente e alla fine del Corso Lei sarà contento e sorpreso di me. Ora Lei pensa che io in passato non ______________ (studiare) abbastanza e vorrebbe che ______________(frequentare) più assiduamente le lezioni. È probabile che Lei ______________ (avere) ragione. Ma se io in questi tre mesi passati a Firenze non ______________ (approfittare) per visitare l'Italia Centrale ______________ (perdere) una grande occasione.

AP.54

D. Completare con i verbi e i pronomi

La settimana scorsa ho avuto una piccola discussione con un venditore di "souvenirs". La cosa è andata così:

- Signore, venga e guardi! Vuole comprare questo regalo?
  - No, grazie non ______________.
- Ma perché, non Le piace?
  - Sì, ______________, ma non so a chi regalarlo.
- Ma non ha un figlio, un nipote, o un amico?
  Sì, ______________ molti.
- E allora, perché non compra per loro qualche cosa?
  - ______________ niente, perché non ho più soldi.
  ______________ (spendere) tutti per viaggi e spettacoli.

E. Una composizione a scelta

1. Le persone, le cose, i giorni che ricordo sempre con piacere.
2. I desideri che vorrei realizzare nella mia vita.
3. La mia vita tra dieci anni: dove, come, con chi sarò?

Test n. 4

A. Rispondere con i pronomi

Si parte per le vacanze. Prima di uscire ....

ANGELO: – Hai chiuso bene le finestre?
MARIA: – Sì, ______________________________
ANGELO: – Hai spento il gas?
MARIA: – Sì, ______________________________
ANGELO: – Hai preso le chiavi della macchina?
MARIA: – Sì, ______________________________
ANGELO: – Hai detto alla vicina di dare l'acqua ai fiori?
MARIA: – Sì, ______________________________

B. Completare

Karin è partita prima della fine del corso.

SERGIO: – Mi dispiace che Karin ______________________________
già ____________________ (partire)
BRUNO: – È vero. Pensavo che ____________________ (rimanere)
ancora e ____________________ (volere) terminare il corso.
SERGIO: – Era una ragazza simpatica e gentile: parlava bene l'italiano
sebbene ____________________ (essere) qui da poco tempo.
BRUNO: – Vorrei che il prossimo anno ________________ (tornare) di
nuovo in Italia.
SERGIO: – Se lei ______________________________ (tornare),
____________________ (noi potere) stare ancora insieme.

AP.55 ______

C. Dalla forma del "Lei" alla forma del "tu"

All'esame per la patente di "guida".

INGEGNERE: – Non abbia paura; si ricordi bene di ogni manovra. Faccia attenzione ai segnali stradali e non vada troppo veloce.
CANDIDATO: – Bene, mi dica quando devo partire.
INGEGNERE: – Giri la chiave, metta in moto e si prepari a partire.

D. Volgere nella forma passiva

L'arrivo del famoso direttore d'orchestra.

Molti giornalisti hanno ricevuto all'aeroporto quel famoso direttore e lo hanno intervistato a lungo. Questa sera la televisione trasmetterà l'intervista alle 22,30.

E. Completare con le preposizioni

__________ questa città, se qualcuno lascia la macchina __________ divieto __________ sosta, anche soltanto __________ un'ora, può essere sicuro __________ trovare la multa, quando ritorna. Se il vigile ha cominciato __________ scrivere la contravvenzione, nulla riesce __________ fargli cambiare idea.

AP.56

F. Composizione (a scelta)

1. Racconti il suo esame per la patente di guida.
2. Un amico verrà nella sua città per frequentare un corso di informatica; in una lettera gli dia queste informazioni:
   a) Quando cominceranno i corsi e qual è il livello adatto per lui.
   b) Cosa deve fare per iscriversi.
   c) Cosa deve fare per trovare una camera.
   d) Come può passare il tempo libero.
   e) Una breve descrizione della città.

Test n. 5

Leggere attentamente

Ecco, suona mezzanotte, la domenica è morta. Fra questa domenica e la prossima dovranno passare 168 ore, a una a una. Sono passate le 168 ore. Sta finendo un'altra settimana. Che ne ho fatto di queste 168 ore? 25 ore le ho passate a scuola. Altre 25 le ho trascorse in lezioni private e ripetizioni e fa 50. Una settantina si sono consumate nel sonno. E le altre 58?

Una mezza dozzina se ne sono andate nel mangiare; un altro paio se ne sono andate per le piccole azioni, e 50 ore le ho consumate nelle abitudini. La mezz'oretta al caffè prima di andare a scuola; l'oretta al caffè dopocena; l'oretta sdraiato dopo le ripetizioni; le rimanenti ore a parlare con i colleghi e con il giornalista fino a consumare 168 ore.

Mi accorgo che la mia vita è tutto un seguito di ore bruciate, di tempo perduto.

(L. Mastronardi, Il maestro di Vigevano, Einaudi, 1967)

A. Rispondere

1. Quale giorno della settimana è morto?
2. Quante ore dovranno passare fra una domenica e l'altra?
3. L'autore come ha passato le ore della settimana?
4. Quali sono le piccole abitudini dell'autore?
5. Che cosa esprime l'ultima frase del testo?

B. Volgere al passato

AP.57

È freddo e nuvoloso. Entro in una latteria; un ragazzo scalda subito del latte per me. Alla cassa è la padrona che legge un vecchio giornale che qualcuno ha lasciato lì. Si sta in silenzio, anche se il ragazzo va e viene dentro il locale. Poi entra un signore che non so chi sia.

(S. Penna, Un po' di febbre, Garzanti, 1973)

C. Completare con le preposizioni

L'armadio delle quattro stagioni.

Pietro: — Il mio cappello dov'è?

Giuliana: — Hai un cappello?

Pietro: — L'avevo. Adesso non lo trovo più.

Giuliana: — Io non me lo ricordo questo cappello.

Pietro: — Forse non te lo puoi ricordare. Non lo metto ________ molto tempo. Noi è solo un mese che ci conosciamo.

Giuliana: — Non dire così, "un mese che ci conosciamo", come se io non fossi tua moglie.

Pietro: — Sei mia moglie ________ una settimana. questa mattina e ________ tutto il mese passato, non ho mai messo il cappello. Lo metto solo quando piove forte. È un cappello marrone.

Giuliana: — Forse l'avrai __________ casa __________ tua madre.

Pietro: — Forse. Tu __________ caso hai visto il mio cappello?

Giuliana: — No. Però tutta la tua roba l'ho fatta mettere __________ armadio. Può darsi che ci fosse anche questo cappello.

Pietro: — __________ quanti giorni abbiamo Vittoria, la nuova cameriera?

Giuliana: — Sono tre giorni che è con noi.

Pietro: — E tu subito le hai fatto mettere __________ armadio la nostra roba invernale?

Giuliana: — La tua. Io non ho roba invernale. Ho una gonna, una maglia e l'impermeabile.

Pietro: — Hai fatto mettere __________ armadio tutta la mia roba invernale? Subito?

Giuliana: — Subito.

Pietro: — Vittoria! Guardi se riesce __________ trovare un cappello! Un cappello marrone! La signora dice che l'ha messo __________ armadio.

AP.58

(N. Ginzburg, Ti ho sposato per allegria, Einaudi, 1976)

D. Completare

1. Pietro riuscirà a ritrovare il cappello?
   — Penso che __________
2. Giuliana ha messo il cappello nell'armadio?
   — Credo che __________
3. Giuliana è sposata con Pietro da poco tempo e non si ricorda del cappello marrone.
   — Se Giuliana __________ __________ con Pietro da molto tempo, si __________ del cappello marrone.
4. Il cappello non si trova?
   — È possibile che __________ così difficile trovarlo?
5. Pietro è molto disordinato.
   — Giuliana vorrebbe che __________ più ordinato.

E. Mettere all'imperativo i verbi in corsivo

1. Pietro chiede alla moglie di *prendergli* il cappello marrone.

___

2. Lei non sa dove è il cappello e lui le chiede di *cercarglielo.*

___

3. Giuliana chede alla cameriera di *farle* il favore di vedere se il cappello è nell'armadio.

___

4. L'armadio è alto e la cameriera prega Pietro di *darle* una scala per guardare nell'armadio.

___

F. Composizione

Ha passato un lungo periodo all'estero. In una lettera ad un amico:

- spieghi perché non ha scritto negli ultimi tempi;
- racconti le Sue impressioni sui luoghi che ha visitato;
- descriva le esperienze che ha vissuto;
- parli dei Suoi programmi futuri.

Test n. 6

A. Leggere il brano seguente e poi rispondere alle domande:

Ieri mattina non sono andato a lezione, perché ero molto stanco: la sera precedente ero stato, infatti, a ballare in discoteca e avevo fatto le ore piccole.

Così sono rimasto a casa e ho dormito fino alle undici; poi mi sono alzato, ho studiato un po', ho mangiato della frutta.

Verso mezzogiorno ho sentito suonare alla porta; era il postino che mi ha dato un telegramma: il telegramma diceva che i miei genitori verranno a trovarmi il mese prossimo e resteranno con me una settimana.

(Unità 1-24) TEST DI VERIFICA E VALUTAZIONE GLOBALE

Domande:

1. Dove sei andato ieri mattina?
2. Perché eri stanco?
3. Che cosa hai fatto a casa?
4. Hai studiato molto?
5. Chi è arrivato?
6. Che cosa ti ha dato?
7. Chi verrà a trovarti?
8. Quando?

B. Volgere al plurale il brano precedente:

Ieri mattina non siamo andati a lezione ....

AP.60

C. Completare con le preposizioni il brano seguente:

Sono ____________ questa città ____________ circa tre mesi, ma non mi sono abituato ______________ questa vita: perché la città è troppo piccola ______________ me, perché non mi piace la cucina ______________ mensa, perché non ho molte possibilità ____________ parlare italiano, perché le lettere ______________ mio padre o ______________ mia fidanzata arrivano sempre ______________ molto ritardo e, infine, perché sono stanco ____________ stare solo.

D. Completare con i pronomi:

Ho scritto a mia madre e ____________________ ho detto di mandar ____________________ un po' di soldi e di mandar ____________________ presto, perché quelli ______________________ avevo portato con ________________ ________________ ho quasi finiti.

E. Completare con i verbi al modo e tempo giusti:

Domani devo andare a Roma. È un peccato che Giovanna non ________ (potere) venire con me. Spero che ________ (fare) bel tempo e che non ci ________ (essere) troppo traffico in autostrada. Mi piacerebbe andare a trovare mio fratello e vorrei che lui ________ (avere) un po' di tempo per stare con me.

F. Dalla forma del "Lei" alla forma del "Tu"

Buon giorno! *Entri*! *Si accomodi*! ..... Allora, *mi dica* che cosa *desidera*.... Ah, *Lei desidera* che io acquisti una enciclopedia? *Senta*, per il momento non ne ho bisogno. *Ritorni* un'altra volta e *mi porti* anche il catalogo della Casa Editrice.

G. Svolgere uno dei seguenti temi:

1. Ho partecipato ad una festa in casa di amici.
2. Ho conosciuto una persona che difficilmente dimenticherò.
3. Quello che mi piace e quello che non mi piace degli Italiani.

Test n. 7

A. Mettere al plurale il brano seguente secondo il modello: *Ci sono degli studenti* davanti a casa *nostra*

C'è uno studente davanti a casa mia, dovrebbe essere un artista, un cantante.

Ogni mattina, alle sette precise, insieme alla sveglia sento anche una canzone. Mi alzo, apro un poco la persiana e lo vedo: è lo studente della casa di fronte; preciso e puntuale come un orologio, alla solita ora inizia a cantare.

Ha una bella voce e canta mentre fa il caffè, mentre si pettina, mentre si veste. Non è sempre la stessa canzone, la melodia è diversa ogni giorno: talvolta è triste e romantica, altre volte è allegra e gioiosa.

Canta di solito nella sua lingua, ma ultimamente ha provato a cantare in italiano.

Vorrei conoscerlo, dovrebbe essere una persona interessante.

B. Rispondere alle domande sul brano precedente

1. Che cosa succede ogni mattina alle sette?
2. Chi c'è davanti a casa tua?
3. Chi pensi che sia quel ragazzo?
4. Che cosa fai?
5. Da dove lo vedi?
6. Ti piace come canta?
7. Ti piace la sua voce?
8. Come sono le canzoni che canta?
9. Canta in italiano?
10. Ti piacerebbe conoscerlo? Perché?

AP.62

C. Mettere al passato

Ho bisogno di un cappotto di loden e vado in un capannone "a buon mercato"; non dico niente a mia moglie perché ogni tanto voglio dimostrare che anche io so fare un affare. Entro in un grande stanzone dove ci sono molti signori che si provano e si tolgono le giacche. Il proprietario mi viene incontro, gli dico che mi manda un amico comune e lui mi accompagna verso i loden. Cerco con calma e quando mi ritengo soddisfatto, raggiungo il padrone che sta parlando con altra gente. Dico: "Prendo questo. Quanto Le devo?" Il proprietario mi fa un gran sorriso, mi prende per un braccio e, allontanandosi dal gruppo, mi sussurra in gran segreto: "Quattrocentomila".

D. Volgere nella forma passiva

Forse un gruppo di barboni ha incendiato le carrozze ferroviarie della stazione di Milano. Nelle notti di venerdì e sabato, essi avrebbero danneggiato e parzialmente distrutto otto vagoni ferroviari. Polizia e carabinieri hanno fermato numerose persone e ne hanno arrestate due; sui luoghi degli incendi la polizia scientifica ha trovato mucchietti di carta.

INDICE ALFABETICO

INDICE ALFABETICO

INDICE ALFABETICO

INDICE ALFABETICO

(I = 1° volume)
(II = 2° volume)